D1066926

L'EMPRISE

Sophie Girard

L'EMPRISE

Catalogage avant publication de Bibliothèque et Archives nationales du Québec
et Bibliothèque et Archives Canada

Girard, Sophie, 1973-

L'emprise

(Tabou ; 8)

Pour les jeunes de 14 ans et plus.

ISBN 978-2-89074-963-4

I. Titre. II. Collection: Tabou ; 8.

PS8563.I725E46 2011 jC843'.6 C2011-941118-0
PS9563.I725E46 2011

Édition
Les Éditions de Mortagne
C.P. 116
Boucherville (Québec) J4B 5E6

Distribution
Tél. : 450 641-2387
Télec. : 450 655-6092
Courriel : info@editionsdemortagne.com

Dépôt légal
Bibliothèque et Archives Canada
Bibliothèque et Archives nationales du Québec
Bibliothèque Nationale de France
3e trimestre 2011

ISBN 978-2-89074-963-4

1 2 3 4 5 – 11 – 15 14 13 12 11

Imprimé au Canada

Nous reconnaissons l'aide financière du gouvernement du Canada par l'entremise du Fonds du livre du Canada pour nos activités d'édition et celle du gouvernement du Québec par l'entremise de la Société de développement des entreprises culturelles (SODEC) pour nos activités d'édition. Gouvernement du Québec - Programme de crédit d'impôt pour l'édition de livres - Gestion SODEC.

Membre de l'Association nationale des éditeurs de livres (ANEL)

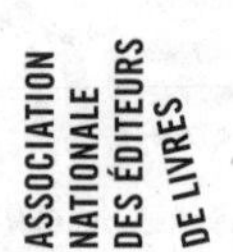

SOMMAIRE

REMERCIEMENTS

À Réjane qui m'a transmis sa passion pour intervenir auprès des femmes victimes de violence. Plus qu'une intervenante, tu es une amie qui a su humaniser la femme que j'étais. Ce roman n'existerait pas sans tout ce que tu m'as appris et toute la générosité dont tu as fait preuve à mon égard.

À Danielle Vézina, fidèle correctrice, pour ta patience et ta minutie. Tu m'as apporté un soutien essentiel et, sans toi, ce livre ne serait pas aussi savoureux. Ton amour de la langue française est contagieux. Aux filles de la maison d'édition qui m'ont accordé leur confiance en me demandant d'écrire un nouveau roman. Votre respect et votre amour de la lecture sont votre force.

À toutes ces femmes qui m'ont fait confiance en me racontant l'histoire de leur vie. Vous êtes des femmes étonnantes, courageuses et généreuses. Puissiez-vous un jour recevoir autant d'amour que vous en donnez.

Et, finalement, à mes deux amours, Samantha et Isaac, qui ont accepté de manger sur le coin de la table quand j'étais en période d'écriture. Vous êtes adorables.

Pour toutes ces femmes qui,
pour se protéger, gardent le silence.
Ce livre est la voix que je vous offre
pour que vous soyez entendues.

Pour toutes les femmes de demain.
Ce livre est la voix que je vous offre
pour que vous sachiez que le respect
est l'essentiel du verbe aimer.

PROLOGUE

L'après-midi tirait à sa fin, mais le soleil s'immisçait encore à travers la fenêtre de la chambre de l'adolescente de seize ans. Le lit était parsemé de vêtements et le petit bureau ne laissait rien paraître de sa couleur ocre tellement il était enseveli sous une tonne de bijoux, de bouteilles de vernis à ongles et de tubes de crème. Le meuble était solide… il ne céderait pas sous le poids des babioles. Tout le contraire de la jeune fille assise devant le bureau qui, elle, semblait sur le point de s'effondrer.

Immobile devant son miroir, elle fixait son reflet. « Est-ce vraiment moi ? » se demanda-t-elle. Son regard était vide, absent. Lentement, ses doigts se posèrent sur sa brosse qu'elle approcha ensuite de ses cheveux. Avec des gestes automatiques, elle tentait de les démêler. Rien à faire, les nœuds qui s'étaient formés après des jours de négligence ne voulaient pas céder. En insistant, elle ne réussit qu'à en arracher quelques-uns.

Ses yeux verts s'attardèrent sur son maquillage pailleté puis sur son rouge à lèvres, tous deux rangés dans le tiroir de son bureau depuis bien longtemps. Elle se souvint de la dernière fois qu'elle les avait utilisés... C'était pour la fameuse soirée chez Justin. Elle rapprocha son visage de la glace pour s'observer de plus près. « Qui suis-je ? » C'est alors que l'écho des paroles entendues au cours des derniers mois lui revint en tête : « Tu n'es qu'une bonne à rien », « Même un hamster est plus intelligent que toi », « Quand tu parles, tu me fais tellement honte ! Tu dis n'importe quoi ». La jeune fille se jeta sur son lit et posa un oreiller sur sa tête pour tenter d'étouffer les paroles glaciales et tranchantes. Rien n'y fit. Seule dans sa chambre, elle n'arrivait même plus à entendre le silence...

Épuisée par tout ce brouhaha, elle se blottit en position fœtale. Laissant les tremblements intérieurs l'envahir, elle se remit à pleurer. Elle savait que cette vague de douleur, ravivée par tous ces mots horribles, avait un nom. Le nom de celui qu'elle avait aimé et à qui elle avait donné toute sa confiance.

Elle avait cru à son amour, s'était ouverte à lui et aujourd'hui, elle en payait le prix. Désormais, par sa faute à lui, elle était incapable de prendre des décisions et doutait de chaque idée qui lui venait. Elle n'osait plus s'habiller sans l'avis d'un autre, sursautait au moindre bruit inconnu, ne sortait plus avec ses amies et s'était même éloignée de ses parents. Pendant trop longtemps, elle n'avait fait que justifier chacune de ses actions, elle avait agi en fonction de ce qu'*il* voulait et de ce qui le ferait moins fâcher. Et peu importait tous ses efforts, ce n'était jamais suffisant.

Comment pourrait-elle continuer seule, maintenant ? Elle qui n'était qu'une bonne à rien, qui n'avait rien de beau à offrir, ni en dedans ni en dehors. Elle qui ne savait même plus qui elle était. Est-ce que ça se trouve quelque part un manuel intitulé *Comment vivre sa vie même si on est idiot(e)* ? Pourtant, plusieurs personnes de son entourage lui avaient affirmé qu'elle était intelligente, perspicace, généreuse… mais méritait-elle ces compliments ? Pourquoi le croyait-elle, *lui*, plus que les autres ?

Peut-être qu'en repensant à toute cette histoire depuis son commencement, elle arriverait à comprendre ce qui lui arrivait…

1
Le trio réuni

En ce samedi matin de la mi-juillet, Mathilde terminait sa valise en soupirant. La semaine lui avait paru une éternité et rien de ce qu'elle aurait aimé faire n'avait fonctionné. Son amie Laurence était chez son père, qui vivait dans la ville d'à côté. Ses parents étaient séparés depuis qu'elle était petite. Elle passait donc une fin de semaine sur deux avec son père et une semaine entière durant les vacances d'été. Quant à Joanie, son autre amie, elle n'avait pas eu de temps à lui accorder même si elle habitait dans le même quartier. Elle devait aider sa mère, qui venait d'être opérée pour un cancer du sein, en s'occupant de ses frères âgés de sept et neuf ans. Les deux petits monstres nécessitaient une présence de tous les instants et il va sans dire que Joanie aurait préféré être à la plage avec Mathilde.

Pour couronner sa semaine ennuyante, ses parents avaient ressenti le besoin urgent de faire une activité familiale et ils avaient imposé à sa sœur aînée et à elle une semaine de camping. À six ans, ça peut être agréable, mais à quinze ans, c'est la mort ! Allez donc expliquer ça aux parents ! Ce n'est pas faute d'avoir essayé, mais aussitôt, ils avaient crié à l'injustice, se plaignant que les amis passaient avant eux. De toute manière, il n'y avait rien à discuter, car tout était déjà réservé depuis longtemps au camping Le Rivage.

– Mathilde ! Chloé ! C'est l'heure de partir ! Où sont vos bagages ? cria Sylvie, la mère de Mathilde, du rez-de-chaussée.

– Et puis, ça s'en vient, ces bagages ? demanda Paul en entrant au même moment dans la maison.

– Nos filles savent se faire désirer, tu le sais. On doit toujours les attendre au moins vingt minutes.

– Elles tiennent ça de leur mère ! ajouta Paul en souriant.

Il attendit donc sur le pas de la porte, prêt à charger la voiture. La patience était sa plus grande qualité.

Les parents de Mathilde s'étaient rencontrés alors qu'ils n'avaient tous deux que vingt ans. Ils s'étaient fréquentés un certain temps, s'étaient mariés et, suivant la logique de la vie, avaient eu deux enfants. Lui était comptable, elle, massothérapeute. Leur vie n'avait rien d'extraordinaire, mais le couple se complétait très bien et offrait aux deux filles un foyer stable et rassurant.

Ce voyage était pour eux l'occasion idéale pour renouer avec leurs adolescentes qui, depuis quelque temps, fusionnaient avec l'ordinateur ou leur iPod.

Paul ramassa les derniers bagages et s'assura de bien verrouiller la porte. Tout le monde était monté dans la voiture et il ne manquait plus que lui. Pendant qu'il mettait le moteur en marche, deux petits « bip » qu'il connaissait bien se firent entendre. Mathilde venait d'envoyer un texto à ses deux meilleures amies : « J'pars en camping avec ma famille. J'reviens la semaine prochaine. »

Les merveilles de la communication sont incontestables. Une information peut se propager en même temps, à des endroits différents et à la vitesse de l'éclair. Voilà qu'en cet après-midi d'été, deux cellulaires recevaient le même message : « Je suis revenue ! On fait quelque chose ? », signé Mathy. Ça, c'est le surnom que ses amies donnaient à Mathilde. Chaque fille avait le sien : Lau pour Laurence et Jo pour Joanie.

Dès que Laurence sentit son cellulaire vibrer, elle prit son message plus vite que son ombre et donna sa réponse : « J'peux pas. J'suis encore chez mon père. On s'parle sur MSN ce soir. »

Quant à Joanie, elle avait entendu la sonnerie de son cellulaire, mais n'avait pas pu répondre, car elle était occupée à vider le lave-vaisselle. Aussi, dès que sa tâche fut terminée, elle s'empressa de lire son message et d'y répondre « OK ! On s'voit au même resto que d'habitude, dans une heure. » Enfin, Joanie allait pouvoir parler à quelqu'un d'autre qu'à ses parents et à ses frères !

Malgré sa hâte de voir son amie, Mathilde prit quand même le temps de se coiffer et de se maquiller. On ne sait jamais quand un beau gars peut croiser notre route ! Ses cheveux étaient remontés, à l'exception de quelques mèches qui tombaient ici et là pour aller chatouiller ses épaules. L'adolescente n'aimait pas son nez, qu'elle trouvait trop gros, ni ses seins, trop timides à son goût. Elle aurait aimé avoir la poitrine de Laurence ou celle de Joanie, qui faisaient tourner les regards. Par contre, elle adorait ses cheveux bouclés, qui se coiffaient facilement, et ses fesses bombées, qui lui donnaient un look d'enfer en jeans. Après plusieurs changements de t-shirt et seulement lorsqu'elle fut totalement satisfaite de l'image que lui renvoyait son miroir, Mathilde descendit l'escalier en criant à sa mère qu'elle serait de retour pour le souper.

Le petit resto Chez Rose, où elle devait retrouver Joanie, était à quelques minutes à pied. Rapidement, elle traversa les rues et arriva devant le lieu du rendez-vous. Elle ouvrit la porte et chercha son amie d'enfance, qu'elle vit assise à leur table habituelle.

Cheveux roux, coupés court, air réservé, allure sportive : elle aurait reconnu Joanie n'importe où. Avec son sens de l'humour tranchant et sa façon de dire ce qu'elle pensait n'importe quand, Mathilde l'adorait et appréciait beaucoup cette franchise. Peut-être justement parce que ça ne faisait pas partie de ses traits de personnalité à elle. Souvent, elle gardait le silence pour ne pas interrompre ou déranger les autres. Et quand elle disait vraiment ce qu'elle pensait, elle sentait le besoin de vérifier par la suite qu'elle n'avait blessé personne par ses propos. Grrr ! Satané manque de confiance en soi !

– Salut ! lança Mathilde en prenant place à la table.

– J'étais tellement contente quand j'ai eu ton message ! Si tu savais comme la semaine a été ennuyante avec toute cette pluie.

– Ne me parle pas de pluie. On a passé trois jours, entassés dans la roulotte, à jouer à des jeux de société avec mes parents… Une chance que j'avais mon iPod ! Je pense que je serais morte d'ennui sinon.

– Moi non plus, je n'ai pas mis le nez dehors. Même si ma mère va mieux, j'ai dû m'occuper de mes frères et trouver des activités à faire dans la maison. J'ai failli perdre la tête. En fait, j'aurais aimé perdre la tête, comme ça, j'aurais tout oublié ! Deux monstres, Mathy… Je ne peux pas croire qu'on ait les mêmes parents. Je t'annonce que j'ai maintenant la certitude d'avoir été adoptée.

– Ha ! Ha ! Je me suis ennuyée de tes blagues ! Ça m'aurait sauvée, en camping, soupira Mathilde. Est-ce qu'il y a du nouveau depuis mon départ ? As-tu des potins ?

– Non, pas vraiment. Justin a laissé Marie et il paraît qu'elle n'arrête pas de pleurer. Elle lui aurait même envoyé une centaine de messages textes, alors qu'il était à la plage avec Sarah.

– Sarah ?! Franchement, elle sort avec tous les gars de l'école ! Pauvre Marie.

– À part ça, avec la pluie, je ne suis pas vraiment sortie. Lau m'a envoyé quelques textos et on s'est parlé sur le Net, c'est tout.

– Finalement, ta semaine a été bien pire que ma semaine de camping. Au moins, je me suis un peu amusée durant les soirées dansantes.

– Il y a des soirées dansantes dans les campings ? Et est-ce qu'il y avait des beaux gars ?

– Peut-être… répondit Mathilde avec un sourire énigmatique. Je pense en avoir vu quelques-uns. Mais le plus beau, c'était celui à la plage. Je l'ai aperçu deux fois alors qu'il était avec des amis. Aucune fille, j'ai vérifié. Je ne pouvais pas m'empêcher de le regarder. Si tu l'avais vu, Jo ! Blond, cheveux bouclés, abdominaux d'enfer, très sexy avec ses lunettes de soleil et son short de surfeur… Un seul mot : WOW !! Nos regards se sont croisés à quelques reprises et il m'a saluée en me rencontrant sur le terrain de camping, mais on ne s'est pas vraiment parlé. Lorsque je me suis décidée à faire les premiers pas, la pluie a commencé et on est partis.

– Est-ce qu'il vient du coin ?

– Je ne pense pas. Je ne l'ai jamais vu à l'école, ni en ville. Il avait l'air un peu plus vieux que nous… Oh, ce qu'il pouvait être sexy !! Juste à y penser, je frissonne.

– Chanceuse ! Toi, au moins, tu as vu un beau gars. Moi, tout ce que j'ai vu c'est deux petits monstres qui n'avaient rien de sexy, sauf si tu aimes le genre hyperactif, lança Joanie sur un ton sarcastique.

La serveuse vint prendre leur commande.

– Pour moi, ce sera un thé glacé, s'il vous plaît.

– Pour moi aussi.

– Jo, est-ce que tu veux venir souper chez moi ce soir ? J'ai rendez-vous avec Laurence sur MSN tout à l'heure.

– Si ça me tente ? N'importe quoi pour m'éloigner de mes frères !

Leur amitié avec Laurence était née durant la première année du secondaire. Cette dernière venait d'emménager et elle n'avait pas encore d'amis. Mathilde l'avait invitée à se joindre à elles pour un travail d'équipe. Les personnalités s'étaient bien complétées : Laurence était indépendante et aventurière, Joanie plus réaliste et ordonnée, tandis que Mathilde était la sensible et la rêveuse des trois. Elles formaient un trio d'enfer depuis ce jour et gardaient contact en tout temps, même malgré la distance. Comme ce soir-là.

À l'heure convenue, une fenêtre s'ouvrit sur l'écran de l'ordinateur de Mathilde.

« Salut, ça va ? » commença Laurence.

« Super ! Et toi ? » répondit Mathilde en activant sa webcam pour que son amie puisse les voir.

« Chanceuses, vous êtes ensemble ! Je n'en peux plus d'être seule avec mon père et sa blonde. 😬 »

Laurence et son père étaient si différents qu'ils n'arrivaient même pas à avoir une conversation de plus de cinq phrases. Mathilde comprenait donc tout à fait l'ennui de son amie.

« J'comprends. Mais t'as juste à revenir chez ta mère. Ils ne te gardent pas prisonnière, quand même. »

« Presque ! Mon père ne peut pas me reconduire, car sa voiture est au garage et comme ma mère est partie, elle ne peut pas venir me chercher. Je rentre dans deux jours. C'est long ! Je vais devenir folle... 🙄 Et toi, Mathy, ton séjour en famille au camping ? »

« L'eau goûtait bizarre, les toilettes étaient publiques et les douches aussi. 😲 En plus, ma sœur m'évitait parce qu'elle disait vouloir la paix. Tu vois le topo. »

« T'as vu des beaux sauveteurs ? 😍 »

Mathilde parla à son amie du garçon blond qu'elle avait croisé à plusieurs reprises sans jamais oser l'aborder franchement.

– Mathy ! Ça fait au moins cent fois que je te dis qu'on n'est plus en 1950 et que tu peux faire les premiers pas !

– Je sais. J'attendais juste le bon moment.

– C'est toujours le bon moment quand le gars est mignon ! J'espère au moins que Jo a fait mieux que toi ?

– Non. Elle a aidé sa mère toute la semaine. Aucune sortie amusante.

– Alors il est grand temps que je rentre ! On dirait que vous avez oublié notre objectif de l'été : rencontrer des gars intéressants et se faire un chum. Allez, on se voit bientôt ! ☺ À +.

2
L'invitation

Juillet n'avait pas été très chaud et le mois d'août semblait vouloir suivre le même exemple. Ce jour-là, les quelques rayons qui réussissaient à se faufiler parvenaient à peine à réchauffer ceux et celles que le vent frais fouettait. Les rues étaient bondées de gens qui défiaient la fraîcheur du temps en portant des vêtements d'été, mais qui en payaient le prix en frissonnant.

– J'en ai assez de ce vent ! geignit Mathilde en accélérant le pas. On ne peut même pas se promener en short sans geler !

– Tu n'avais qu'à mettre tes jeans si tu ne voulais pas avoir froid, rétorqua Joanie.

– Des jeans en plein mois d'août ? s'insurgea Laurence. Mais c'est un sacrilège, Jo ! On n'a que deux mois par année pour porter nos jupes courtes et nos shorts !

– Si toi tu préfères avoir froid mais être coquette, c'est ton choix. Pour ma part, je préfère le confort...

– Ouais et regarde ce que ça donne, aussi ! renchérit Laurence. Avec ton pantalon en coton, tu fais tellement passée de mode. Au moins, si tu portais des sandales au lieu de tes horribles espadrilles...

– Qu'est-ce qu'elles ont mes espadrilles ? Elles sont très bien ! Et je te ferai remarquer que je suis la seule à ne pas avoir mal aux pieds.

– Les filles, intervint Mathilde, arrêtez un peu. On est dans un pays libre. Tout le monde s'habille comme il veut et cela inclut mes deux meilleures amies. Est-ce qu'au lieu de perdre vos énergies à vous dire des bêtises on ne pourrait pas parler de ce qu'on fait ce soir ? Je ne sais pas si vous avez oublié, mais on est SAMEDI et c'est notre soirée !

– Tu as raison, Mathy. C'est samedi et pas question de passer une soirée ennuyante, répondit Laurence. C'est pour ça que j'ai organisé un petit quelque chose...

– Sans nous consulter ? Tu n'aurais pas dû, car je n'ai pas beaucoup d'argent et je ne peux pas quitter la maison avant dix-huit heures, s'opposa Joanie.

– Ne t'en fais pas, ça ne te coûtera pas un sou, insista Laurence. Ma mère va souper chez des amis et comme elle se sentait coupable de me laisser seule, elle nous paie le cinéma ! On s'en va voir le dernier film de vampires, tu sais, celui dont tout le monde parle depuis des semaines ? Et GRATUITEMENT !!! Tu vas donc passer une belle soirée avec tes deux merveilleuses amies et le vampire le plus mignon qui soit.

La bonne entente enfin de retour, les trois amies poursuivirent leur marche en direction d'un petit café, où un chocolat chaud leur ferait le plus grand bien.

– Je suis vraiment contente que vous acceptiez mon invitation, les filles. Je sens que ce sera LA soirée du mois.

– Ce n'est pas nouveau. Avec toi, c'est toujours LA soirée du mois, pouffa Mathilde.

– Cette fois, c'est vrai. J'ai un don pour sentir ces choses-là.

– Lau, tu n'as pas de don, tu as de l'imagination. Ce n'est pas pareil.

Faire la queue au cinéma rendait plusieurs personnes impatientes. Pas Joanie, Laurence et Mathilde, qui en profitaient pour observer la foule autour d'elles. Pendant ces longues minutes d'attente, elles avaient le temps de jeter des regards dans toutes les directions à la recherche du plus beau gars de la planète et d'échanger les résultats de leurs observations.

En cette soirée où le dernier film de vampires était à l'affiche, la file ne cessait de s'allonger. Soudain, le portier du cinéma cria : « C'est complet pour la représentation de dix-neuf heures ! » Il y eut des soupirs et plusieurs personnes quittèrent le cinéma. Les filles hésitèrent : rester ou partir ? Elles décidèrent d'attendre la représentation de vingt et une heures. Il ne restait plus qu'à demander l'accord de leurs parents... Chacune à son cellulaire, à vos marques, prêtes, partez !

– Pour ma mère, c'est OK, lança Laurence après avoir raccroché. Son souper au restaurant vient à peine de commencer.

– Pour ta mère, c'est tout le temps OK, peu importe ce que tu lui demandes. C'est quand elle dit non qu'on est surprises, rétorqua Mathilde en souriant. Pour moi aussi, tout est beau. Et toi, Jo ?

– Mon père est d'accord. Mais il ne pourra pas venir nous chercher. Il faudra se débrouiller autrement pour rentrer. Pourquoi pas ta mère, Lau ?

– Elle s'est rendue à son souper en taxi, car elle boit du vin. Elle ne viendra pas, c'est certain. Mathilde, tu es notre dernier espoir.

– Je peux essayer, mais je ne promets rien.

Mathilde rappela chez elle. Elle espérait tomber sur sa mère, car son père était beaucoup plus strict et refuserait probablement. Aussi, quand Sylvie décrocha, elle s'empressa de lui faire sa demande sur le ton le plus mielleux possible jusqu'à ce qu'elle entende un « oui ». Mission accomplie !

– On peut rester ! Ma mère va venir nous chercher immédiatement après le film, les informa Mathilde.

– Super ! Mais on doit continuer de faire la queue pour s'assurer d'avoir des billets, dit Laurence. Ouh là, les filles ! Regardez les quatre garçons qui s'en viennent ! WOW ! Mais d'où ils sortent, ces demi-dieux ? Je ne les ai jamais vus avant.

– Pour une fois, Lau, je suis d'accord avec toi, avoua Joanie. Ils sont vraiment très sexy, surtout celui qui porte sa casquette à l'envers. Mais je ne pense pas qu'ils nous remarqueront.

– Ne sois pas si rabat-joie ! Attends qu'ils nous aperçoivent, tu vas voir. Et toi, Mathy, comment tu les trouves ?

– Mathy ? répéta Joanie.

– Allo ! La Terre appelle la Lune, fit Laurence en agitant la main devant les yeux de son amie.

Aucune réponse. Aucun mouvement. Les yeux rivés sur les jeunes inconnus, Mathilde s'était changée en statue de sel. Elle n'arrivait pas à croire ce qu'elle voyait. Ces yeux noisette, ces cheveux bouclés à peine coiffés qui conféraient un look rebelle, presque bohème, et ces épaules carrées, robustes… C'était LUI !? Non, pas d'erreur, c'était bien le garçon du camping.

– Les f… filles, bégaya Mathilde, ce gars, celui aux cheveux blonds, c'est le gars de la plage.

– QUOI ? Tu as vu ce type-là en short, sur une plage, et tu n'es jamais allée lui parler ? s'étonna Laurence, faussement outrée.

– Je n'arrivais pas à prononcer un seul mot. Juste à le regarder, je perdais contact avec la réalité… Il est tellement beau ! Chut ! Ils se dirigent vers nous ! murmura Mathilde.

Effectivement, après avoir regardé l'horaire des films, les gars se joignirent à la file d'attente. Outre le gars de la plage, il y en avait deux autres du même style : look de surfeur ultra-mignon, cheveux mi-longs et soigneusement décoiffés. Le quatrième, quant à lui, se distinguait de ses amis en portant une casquette à l'envers et des vêtements plus sportifs.

Complètement subjuguées, les trois amies détournèrent difficilement le regard lorsque le caissier leur fit signe d'avancer à son guichet. Soudain, sortie de nulle part, Mathilde entendit une voix grave l'interpeller. Tournant la tête, elle vit le visage le plus séduisant qui soit s'approcher d'elle, affichant un sourire d'enfer.

– Allô !

– Al… Allô…

– Il me semble qu'on s'est déjà vus ? Tu n'étais pas au camping Le Rivage par hasard ?

– Oui, j'y… j'y suis allée cet été, bégaya Mathilde.

– Tu y vas souvent ?

– Non, c'était la première fois. Et toi ?

– Les copains et moi, on s'y rend presque toutes les fins de semaine durant les vacances. On aime bien se la couler douce et jouer au volleyball. En plus, on peut y rencontrer des filles vraiment intéressantes.

Le garçon marqua une pause pendant que Mathilde rougit de la tête aux pieds.

– Dommage que tu sois partie si tôt. On manquait de joueurs pour le volley. Je t'aurais invitée à te joindre à nous.

– Je ne suis pas vraiment bonne…

– Tant pis. Je t'aurais invitée quand même. C'est contre mes principes de laisser une aussi jolie fille seule sur la plage.

– …

– En passant, moi c'est Simon. Et toi ?

– Mathilde.

– Content de te connaître, Mathilde.

– Moi aussi.

– Ce sont tes amies ?

– Oui. Euh… Je te présente Laurence et… et Joanie.

Laurence se chargea aussitôt de faire la conversation à Simon pour ne pas qu'il s'en aille, mais aussi un peu pour éviter que Mathilde perde connaissance.

– On va voir le film de vampires à neuf heures. La représentation de sept heures ne nous intéressait pas. On est des oiseaux de nuit.

– Nous, on a choisi le film de guerre. On préfère l'action aux scènes d'amour entre vampires… blagua Simon. Mais on pourrait peut-être se voir après le film ? Je vous présenterai mes amis.

– Pas de problème, s'empressa de répondre Laurence. Tu connais le petit resto Chez Rose, au coin de la rue ?

– Ouais.

– On y sera après le film.

– Dac. À plus.

Immédiatement après le départ de Simon, Mathilde et Joanie reprochèrent à Laurence ce qu'elle venait de faire.

– Tu es folle ou quoi ? Ces gars-là sont des inconnus ! commença Mathilde.

– Tu aurais dû nous en parler avant de dire oui ! poursuivit Joanie.

– Ils sont bien trop mignons pour être dangereux, se défendit Laurence. En plus, on sera dans un lieu public.

– Et on fait quoi avec ma mère, madame « il-n'y-a-pas-de-problème » ?

– Tu l'appelles et tu lui dis de venir nous chercher plus tard.

– Je m'excuse, mais moi je ne « dis » pas à ma mère, je lui « demande »… Et si elle apprend que c'est pour aller manger avec des garçons, elle ne voudra jamais.

– Tu n'as qu'à lui dire que c'est pour manger avec Jo et moi. Tu n'as pas à nommer tous ceux qui seront avec nous.

– Tu déformes la vérité, Lau. Ce n'est pas correct, protesta Joanie. Tu n'es pas obligée de mentir à ta mère, Mathy. On pourra se reprendre une autre fois.

– Une occasion comme celle-là ne se présentera pas deux fois ! Tu ne vois pas que c'était le destin ? Simon a remarqué Mathilde à la plage ET notre représentation a été retardée. On devait se rencontrer, c'est tout. On ne peut donc pas refuser d'aller au resto et manquer ça.

– Bon, c'est vrai que ces gars sont mignons, poursuivit Joanie, mais si notre amie n'est pas à l'aise de mentir à sa mère, il faut la respecter. Ce n'est pas tout le monde qui aime manipuler ses parents.

Ni Laurence ni Joanie n'avaient remarqué la soudaine absence de Mathilde. Partagée entre deux émotions contradictoires, cette dernière s'était réfugiée dans les toilettes pour reprendre ses esprits et essayer de prendre une décision. D'un côté, elle savait que manipuler la vérité pour obtenir une permission n'était pas l'astuce idéale. De l'autre, Simon lui plaisait vraiment et elle avait envie de passer la soirée avec lui. C'était trop tentant... En plus, il venait de lui dire qu'il la trouvait jolie ! C'était la première fois qu'elle pensait mentir à ses parents et jamais elle n'aurait eu cette idée si elle n'avait pas été aussi attirée par Simon. L'adolescente se promit que ce serait la première et la dernière fois qu'elle le ferait.

Mathilde rappela donc chez elle et expliqua à sa mère qu'elle et ses amies avaient très faim, mais que le cinéma vendait la nourriture trop cher. Elles voulaient donc économiser un peu en allant manger au restaurant après le film. Sa mère garda le silence pendant quelques secondes, mais fière que sa fille surveille ses dépenses, elle accepta d'aller les chercher au restaurant Chez Rose à minuit. Pas une minute de plus. Mathilde calcula rapidement qu'il leur resterait une heure et demie au restaurant, après le film. Vivement que la représentation se termine et qu'elles se rendent à leur premier rendez-vous !!!

3
Une ex hystérique

Le mal de cœur de Mathilde n'était pas lié aux attaques sanguinaires des vampires qu'elle avait vues, ni aux sursauts occasionnés par les poursuites ahurissantes du film. Non, son malaise augmentait à chaque pas qui la rapprochait du restaurant. Au début, elle avait été envahie d'un sentiment d'excitation, mais après, elle s'était inquiétée. Qu'est-ce qu'elle allait bien pouvoir dire à Simon ? Elle ne se trouvait ni intéressante ni attirante. Pourquoi est-ce qu'il penserait autrement en lui parlant ? Comment avait-elle pu croire que ce garçon génial pouvait vraiment s'intéresser à elle ?

– Lau, je ne veux plus y aller, j'ai la trouille, avoua Mathilde à son amie.

– C'est normal, au début, dit Laurence. Ça fait ça à tout le monde. Ce sont juste les petits papillons du début.

– Si elle dit qu'elle n'est pas bien, on laisse tomber, rétorqua Joanie. Moi non plus, je ne suis pas trop à l'aise.

– Écoutez-moi bien, vous deux. Vous ne pouvez pas passer votre vie à fuir les gars parce que vous avez un peu peur de leur réaction. Il faudra bien qu'il y ait une première fois ! Alors pourquoi pas ce soir ? On est toutes les trois ensemble et on va dans un resto qu'on connaît bien. En plus, ces gars sont matures, ça paraît.

– Ouais… fit Mathilde, encore hésitante.

– De toute façon, vous n'avez qu'à me laisser parler. J'ai l'habitude, je saurai quoi dire.

– Pour ça, je ne suis pas inquiète, répondit Joanie. *Toi,* tu n'auras pas de difficultés. Parfois, j'aimerais avoir autant de confiance… Il est tellement beau, celui avec la casquette.

– Tu n'as pas à m'envier, Jo. Tu es très bien comme tu es et si ce gars ne le remarque pas, c'est qu'il est vraiment idiot. Allez, grouillez-vous, quatre chevaliers servants nous attendent.

Encore craintives, Joanie et Mathilde se regardèrent comme si la fin du monde venait d'arriver. Il ne leur restait plus qu'à faire leurs dernières retouches de maquillage et à continuer vers leur destinée, les doigts croisés pour que ça ne soit pas un désastre.

Le restaurant était bondé. Comme c'était un soir de première au cinéma, les jeunes s'étaient tous donné rendez-vous à cet endroit, qui se trouvait tout près et qui n'était pas dispendieux. Arrivés en premier, Simon et ses amis avaient réservé trois places aux filles et les attendaient impatiemment. C'est avec son plus beau sourire qu'il les accueillit.

– Salut ! lança-t-il. On commençait à se demander si vous alliez venir.

– Désolée du retard, s'excusa Laurence. Hum… Le film a été plus long que prévu.

– Ce n'est pas grave, dit Simon en les invitant à s'asseoir. Je vous présente mes copains. Lui c'est Antoine, voici Pascal et le dernier, avec la casquette, c'est William.

– Allô, répondirent les filles en chœur.

– Les gars, je vous présente Mathilde, Laurence et Joanie.

– Vous n'êtes pas un peu jeunes pour être encore dehors à cette heure ? demanda Pascal d'emblée.

– Laisse-les tranquilles, intervint Simon. On se fiche de leur âge.

– Tu sauras qu'on est assez vieilles pour sortir jusqu'à l'heure qu'on veut, rétorqua Laurence.

– Ignore-le, c'est un rabat-joie, dit Antoine.

– Au lieu de parler contre moi, commandez donc une boisson gazeuse à vos nouvelles amies. Après, on pourra aller prendre une bière dans un bar, comme d'habitude, grogna Pascal en croisant les bras, mécontent.

– Arrête de faire ton bougon. Amuse-toi donc pour une fois, insista Simon.

– Qu'est-ce que vous allez prendre, les filles ? interrompit William avant que la discussion ne s'envenime.

Gênées de commander un thé glacé ou une boisson gazeuse et de passer pour des fillettes, aucune n'osa faire les premiers pas. C'est Laurence qui brisa le silence en demandant un chocolat chaud pour se réchauffer. Joanie et Mathilde l'imitèrent.

La suite de la soirée se déroula normalement. Les gars tentèrent d'impressionner leurs invitées en parlant de planche à neige, de voitures et de partys bien arrosés. Les filles écoutèrent attentivement, buvant chacun de leurs mots, suspendues à leurs lèvres. Puis tranquillement, de petits groupes de discussion à deux se formèrent. Joanie et William entamèrent une discussion sur la mode vestimentaire actuelle, qu'ils trouvaient horrible, tandis qu'Antoine et Laurence se chuchotaient des mots doux à l'oreille. Quant à Simon, il discutait du terrain de camping avec Mathilde. Lorsqu'il passa un bras autour des épaules de la jeune fille, celle-ci sentit ses joues s'enflammer et son pouls accélérer.

Pascal, qui s'ennuyait royalement, décida subitement qu'il était grand temps d'aller voir ailleurs, gâchant par le fait même le moment d'extase que vivait Mathilde.

– Les gars, j'en ai marre. Je m'en vais au bar du coin prendre une bière.

– Pas de problème. On t'y rejoindra tantôt. Prends ma voiture, nous irons à pied, dit Antoine en lui remettant les clés. Fais-y attention.

– Oui, oui… Oups ! On dirait bien qu'il n'y a pas que moi qui devrais faire attention. Simon, tu as de la visite, conclut-il sur un ton énigmatique.

Tout le groupe tourna la tête vers l'endroit que Pascal pointait du menton. Pendant que les yeux des filles se transformaient en points d'interrogation, les gars hochaient la tête en signe de découragement.

– Oh non ! Pas elle ! chuchota Simon à Antoine. J'espère qu'elle ne m'a pas vu. Elle va tout gâcher une fois de plus.

– Ouais… et je n'ai pas envie de voir ça ! lança Antoine.

Il demanda aussitôt à Laurence si elle voulait aller faire un tour dehors.

– Euh… OK, répondit Laurence, après s'être demandé un bref instant si elle devait rester auprès de ses amies ou accepter l'invitation.

Le malaise fut cependant de courte durée : le frisson provoqué par la main d'Antoine dans la sienne lui fit tout oublier.

Pour Joanie et Mathilde, la réalité était beaucoup moins agréable. L'ambiance, tantôt à la fête, devint soudainement plus sérieuse. Simon tentait par tous les moyens de se cacher de la fille qui venait d'entrer, mais lorsqu'elle le vit, elle s'approcha de la table à grandes enjambées.

– Qu'est-ce que tu fais ici, Simon ?

– J'ai le droit d'être où je veux et quand je veux. Et puis, c'est un endroit public. Alors, laisse-moi tranquille, Kathy. On n'a plus rien à se dire.

– QUOI ? Tu oses me demander de te laisser tranquille ?!! Tu as vraiment du front tout le tour de la tête ! C'est MOI qui devrais te dire de me laisser tranquille. Tu me suis partout et sans arrêt…

– Je ne savais même pas que tu étais ici. Tu es parano ou quoi ? J'arrive du ciné…

– Qui t'a dit que j'étais au ciné ? Qui m'espionne pour toi ? explosa Kathy.

Exaspérée et au bord des larmes, Kathy se mit à parler de plus en plus fort. Deux filles restées en retrait s'approchèrent alors pour la calmer.

– Arrête, Kat. Il ne vaut pas la peine que tu te fâches. C'est un imbécile et tu le sais. Viens, on va s'asseoir là-bas.

– Non ! Je veux qu'il dise la vérité devant tout le monde ! Je veux qu'il admette que je ne suis pas folle, que c'est lui qui…

– Il ne l'avouera jamais Kathy, tu le sais bien, l'interrompit son amie. Nous, on la connaît la vérité et on se fiche de ce que les autres pensent. Tu devrais faire la même chose.

– Ouais, elle a raison, ajouta l'autre amie. On le sait que tu es une fille bien et que c'est lui le fou. Et ceux qui croient ce qu'il raconte sont aussi fous que lui.

– J'en ai assez entendu, dit Simon en se levant. Allez-vous-en, vous êtes en train de gâcher ma soirée.

La plus grande des deux amies de Kathy approcha son visage de celui de Simon.

– Toi, c'est SA vie que tu as gâchée pendant des mois ! C'est SON cœur que tu as brisé et piétiné sans remords. Tu as détruit sa réputation et elle a perdu des amies. Et tu es là, bien tranquille, à flirter avec d'autres filles ? On devrait placarder ta photo sur tous les murs de la ville et il y serait écrit « danger » en lettres rouges. Tu n'es qu'un salaud et un minable…

– Ça suffit, tout le monde, intervint une serveuse. Vous dérangez les autres clients. Soit vous vous installez pour commander, soit vous partez.

– On reste, les filles, conclut Kathy. Ce n'est pas à nous de s'en aller.

Sur ce, le trio alla prendre place à la table la plus éloignée de celle de Simon. Malgré la distance, la tension persistait. Pas très agréable ! La première à briser la glace fut Joanie :

– Qu'est-ce qui vient de se passer ? C'était qui, elle ?

– Kathy, mon ex-blonde, répondit Simon. Ce n'est pas sa première crise depuis qu'on n'est plus ensemble. J'espère que ses amies vont la calmer parce qu'elle fait une folle d'elle chaque fois.

Mathilde, restée sans voix, hésitait entre la pitié qu'elle ressentait pour cette fille et l'envie d'oublier ce qui venait de se passer.

– Pourquoi fait-elle des crises comme ça ? demanda-t-elle après un moment d'hésitation.

– On est sortis ensemble pendant sept mois et elle m'a quitté pour un autre. J'ai eu le cœur brisé et j'ai tout fait pour qu'elle revienne. Après quelques semaines, j'ai rencontré une autre fille et c'est là qu'elle a voulu revenir. J'ai refusé. Depuis, elle me fait des crises en disant que je la suis partout. On a les mêmes amis et on fréquente les mêmes endroits, ce n'est pas de ma faute si on se croise ! Elle panique pour rien, c'est tout.

– C'est quand même surprenant qu'une personne se fâche autant « pour rien », renchérit Joanie, un peu sceptique.

Simon se tourna vers cette dernière et la regarda droit dans les yeux. Sa pupille dilatée semblait vouloir engloutir Joanie, qui regretta aussitôt d'avoir parlé.

– Tu es détective ou quoi ? Elle m'a trompé et est partie avec un autre type ! se défendit Simon en haussant le ton. Elle m'en veut parce que je fréquente d'autres filles. Tu penses vraiment que j'ai quelque chose à voir là-dedans ? Dis-le-moi ! Le problème avec vous, les filles, c'est que vous pleurez pour rien et vous nous accusez d'en être responsables.

– Arrête, Simon. Elles n'ont rien à voir avec ton ex, le calma William. Assieds-toi et respire un peu.

Un étrange malaise laissa un goût amer à Joanie et elle se promit bien de garder le silence à l'avenir. Comment est-ce que la soirée avait pu tourner au vinaigre si rapidement ? La sonnerie d'un cellulaire fit alors sursauter les deux filles. C'était celui de Joanie. Presque soulagée, elle répondit *illico presto* en se levant pour aller parler un peu plus loin. Après avoir raccroché, elle fit signe à Mathilde de la rejoindre.

– C'était ta mère. Elle a essayé de te joindre sur ton cellulaire, mais sans succès. Elle sera là dans vingt minutes. Elle va nous attendre dehors.

– Tu es sérieuse ? C'est déjà l'heure ?

– Oui. Et si on ne veut avoir droit à un autre drame, il faut trouver Lau au plus vite. Tu ferais peut-être mieux d'aller enlever ton maquillage avant que ta mère n'arrive.

– Tu as raison. On dit salut aux gars et je vais aux toilettes pendant que tu cherches Lau. D'accord ?

– OK.

Les deux alliées s'en retournèrent vers les gars pour leur annoncer leur départ. Simon s'excusa pour la fin de soirée et embrassa Mathilde sur les joues. Il lui chuchota à l'oreille : « On va se revoir, beauté, c'est promis. » Joanie salua timidement William et tira sur la main de son amie. Cette dernière continuait de savourer la promesse de Simon en se dirigeant vers les toilettes. Elle entra ensuite dans une cabine pour prendre du papier et se démaquiller. Pas de temps à perdre, il lui fallait faire vite !

L'opération « retour au naturel pour éviter une crise parentale » à peine commencée, Mathilde entendit quelqu'un arriver en pleurant. Deux voix accompagnaient les sanglots. Ne voulant pas déranger, l'adolescente se fit discrète et attendit avant de sortir. Témoin silencieux à son insu, elle reconnut la voix de l'ex-blonde de Simon. Quelqu'un activa le séchoir à mains et seules des bribes de la conversation parvinrent aux oreilles de Mathilde.

– ... il y en marre de lui, Kate, oublie-le...

– ... quand tu lui as dit que tu voulais le quitter et qu'il t'a... il veut juste te faire payer parce que tu lui as tenu tête...

– Je l'ai tellement aimé ! Pourquoi ça c'est terminé comme ça ? Peut-être que... et quand il m'a demandé, la semaine passée, de...

– … il t'a fait du mal, Kate. Tu te souviens à quel point tu as pleuré la fois où… et qu'après… Oublie-le, c'est pour ton bien…

– Tu as raison. Je dois passer à autre chose… d'accord, on s'en va. Je suis épuisée…

– Passons par-derrière pour éviter…

Et puis, plus rien. Le claquement de la porte convainquit Mathilde de sortir de sa cachette, la tête pleine de questions. Voyant l'heure, elle se dit qu'elle penserait à tout ça plus tard. Pour le moment, l'explication qu'elle devrait donner à sa mère pour son retard était plus importante que tout le reste.

4
Rencontre inattendue

Pour Mathilde, les samedis se suivaient, mais ne se ressemblaient pas. Une semaine après sa rencontre avec Simon, elle n'avait eu aucune nouvelle de lui et l'espoir d'en avoir un jour s'amenuisait. Il lui avait dit qu'ils se reverraient et elle le croyait. Pourquoi lui avoir fait une promesse s'il ne voulait pas la tenir ? Il avait certainement une bonne raison, raison que Mathilde finit par trouver : il n'avait pas son numéro de cellulaire ! Trop gênée pour tenter quoi que ce soit de son côté, il ne lui restait plus que l'attente et le souvenir de sa soirée avec lui.

Ses amies et elle avaient parlé longuement de ce rendez-vous mémorable, détaillant chaque minute et chaque parole. Laurence avait décrété qu'il n'y avait rien de pire qu'une ex jalouse pour tout bousiller. Selon elle, Simon était simplement une victime.

Joanie, quant à elle, demeurait un peu plus méfiante, car le regard furibond lancé par Simon avait laissé une trace de doute quant à son innocence dans cette histoire. Elle frissonnait encore juste à y penser et elle se promettait bien de demeurer vigilante. Peut-être pourrait-elle en glisser un mot à Mathilde ? Mais son amie était si contente qu'un gars s'intéresse à elle que Joanie ne voulait pas l'inquiéter inutilement. Peut-être le jugeait-elle trop rapidement ? En tout cas, c'est ce que Laurence lui avait dit. Cependant, cette dernière était loin d'être objective dans son état actuel. Elle flottait encore sur son nuage nommé « Antoine » et rien d'autre n'avait d'importance. Laurence leur avait raconté une bonne dizaine de fois sa promenade avec son prince, ce soir-là :

– On marchait tranquillement et il m'a pris la main. Il m'a dit que mes yeux étaient les plus beaux qu'il ait jamais vus. On s'est dirigés vers un endroit tranquille pour ne pas être dérangés. Il a mis ses mains sur ma taille et j'ai senti mes jambes ramollir. Je me suis adossée au mur pour ne pas tomber. Il a collé son corps contre le mien et j'ai descendu lentement mes mains jusque dans les poches arrière de son jeans. Je mourais d'envie qu'il m'embrasse et c'est ce qu'il a fait. Au début, il a doucement posé ses lèvres sur les miennes. C'est moi qui ai pris l'initiative de l'embrasser avec la langue. Hummm ! C'était vraiment bon ! On s'est tellement embrassés longtemps que je manquais d'air. On s'est arrêtés un peu et c'est là que Jo est arrivée. Heureusement, parce que j'ai senti qu'il avait envie d'en avoir un peu plus et, pour être franche avec vous, je ne sais pas si j'aurais pu résister longtemps. Avant de partir, il m'a dit que ce serait bien de se revoir, seuls tous les deux, termina Laurence.

Mathilde enviait l'assurance de son amie. Laurence ne doutait jamais de l'effet qu'elle avait sur les gars. En plus, elle avait déjà eu un copain avant d'emménager dans cette ville et elle savait embrasser. Toutefois, son assurance frôlait parfois l'arrogance et c'était une des raisons pour laquelle Laurence arrivait difficilement à se faire des amies. Elle aimait tellement être le centre d'intérêt que les autres filles, ne voulant pas rester dans l'ombre, s'éloignaient d'elle. Mais Laurence avait plusieurs autres qualités ! C'était une fille super qui gagnait à être connue.

Ce matin-là, tout invitait à rester au lit. Le ciel était sombre et la pluie tombait finement. Le vent signifiait sa présence avec un sifflement aigu et poussait en tous sens les gouttes de pluie sur les vitres. Les éclairs et le tonnerre avaient tenu Mathilde éveillée une partie de la nuit. Les yeux cernés et d'humeur maussade, elle descendit l'escalier pour aller déjeuner. Sa mère avait laissé un bout de papier sur le coin de la table. « Sûrement une tâche à faire… » pensa-t-elle. « Nettoyer la salle de bains, passer l'aspirateur ou quelque chose dans le genre. » Décidément, c'était vraiment une journée pour rester couchée…

En lisant la note, elle ouvrit grand les yeux, l'air ahuri. Nooooon ! Pas déjà ! Il s'agissait bien d'une tâche à faire, mais elle était pire encore que de laver la douche avec une brosse à dents… Mathilde tenait entre ses mains la liste du matériel scolaire qu'elle devait se procurer pour sa cinquième année du secondaire. « Acheter des feuilles lignées et des gommes à effacer…Wow ! Passionnant… » soupira l'adolescente.

Elle se hâta d'envoyer un texto à ses amies. Pas question de s'ennuyer seule : « J'capote ! L'école commence dans une semaine, je dois acheter mon matériel et j'ai pas de linge pour la rentrée. Allons-nous magasiner ? » Les deux réponses arrivèrent presque aussitôt : « C'est d'accord ! On se rejoint tantôt chez Joanie, comme d'habitude. »

Vite, Mathilde devait parler à sa mère avant son départ pour le travail. Elle avait besoin d'argent pour acheter ses vêtements. Elle remonta l'escalier si rapidement qu'elle bouscula son père sur la dernière marche.

– Doucement, Mathilde. Qu'est-ce qui presse tant ?

– Je dois voir maman ! dit-elle d'un seul souffle.

– Ta mère ? Elle est partie travailler il y a une heure. Est-ce que je peux t'aider ?

– Je vais acheter mon matériel scolaire… et des vêtements. Maman devait me laisser de l'argent.

– Elle a certainement oublié. Prends ma carte de débit, mais n'oublie pas la consigne.

– Oui. Pas plus que la limite de deux cents dollars. Merci 'pa. À plus tard !

Les filles attendaient Laurence chez Joanie et s'impatientaient devant son retard. La mère de leur amie n'était pas souvent à l'heure et aujourd'hui, cela les incommodait plus que jamais. Elles avaient hâte d'être devant les vitrines !

Les retardataires se pointèrent enfin, après trente-cinq minutes de retard. Pour se faire pardonner, la mère de Laurence leur offrit de les conduire jusqu'à la ville voisine pour voir le nouveau centre commercial. Ce dernier avait ouvert ses portes le printemps passé et comptait cinq étages de boutiques. Il fallait être folle pour refuser une telle offre !

Les cinq étages ressemblaient à un buffet, où les affamés du magasinage pouvaient dépenser jusqu'à ce que « fonds insuffisants » s'ensuivent. Vêtements, bijoux, chaussures, parfums… Le tout présenté dans des vitrines éclairées et colorées, accompagné d'une musique diaboliquement envoûtante. Les filles restèrent sans voix en franchissant les portes coulissantes de l'établissement. Le paradis existait !! Et le dieu de la consommation les attendait pour leur offrir les derniers vêtements à la mode. Comme des enfants dans un parc d'attractions, elles ne savaient pas par où commencer.

Les deux heures qui suivirent passèrent trop rapidement. Quand arriva la fin de l'après-midi et qu'il ne restait que trente minutes avant de partir, toutes les trois voulurent aller vers des boutiques différentes. Elles décidèrent donc de se séparer. Laurence se dirigea vers la boutique de maillots, Joanie vers celle de la musique et Mathilde vers celle des chaussures. Malheureusement, elle avait dépensé tout l'argent accordé par son père. Pfiit ! Fondu comme neige au soleil. Mais elle voulait tout de même admirer les souliers dernier cri.

Elle se promena quelques minutes et elle la vit : LA paire de bottillons bruns la plus géniale du monde. Avec ces bottes aux pieds, elle aurait un look glamour et séduisant pour la rentrée. Le prix était exorbitant, mais c'était une question de vie ou de mort. Elle ne pouvait pas partir sans ces bottillons ! Déchirée entre la raison qui lui dictait de respecter son budget et le désir brûlant de les essayer, elle réfléchit pendant de longues secondes. Elle sursauta quand une voix lui demanda :

– Je peux vous aider, mademoiselle ?

– Non, je ne fais que regarder. Ces bottillons sont tellement beaux.

– C'est vous qui êtes belle et que je ne peux m'empêcher de regarder depuis tout à l'heure…

Offusquée du langage un peu trop familier du vendeur, Mathilde se retourna pour le confronter. Les mots se figèrent dans sa gorge tandis que son pouls s'accélérait.

– Si… Sim… Simon ? bégaya-t-elle sous le coup de la surprise. Qu'est-ce que tu fais ici ?

– Je travaille et toi ?

– Je suis venue magasiner avec mes amies. Je ne savais pas que tu travaillais ici.

– Oui, à temps partiel. En plus de mes cours en techniques de génie mécanique dont je t'ai déjà parlé.

– Ah !

– Je suis content de te revoir, Mathilde. Je suis vraiment désolé pour l'autre soir. J'aurais aimé que ça se termine mieux.

– Ce n'est pas grave. Ce n'était pas de ta faute. Heureusement, le début de la soirée a été génial ! Et puis, tu m'avais dit qu'on allait se revoir, alors j'ai attendu de tes nouvelles…

– Je sais. J'ai manqué de temps. J'ai dû régler la situation avec Kathy. Je ne voulais pas que tu sois témoin une fois de plus de ses sautes d'humeur. Tu n'as pas à endurer ça. Tu es vraiment une fille spéciale et… maintenant que c'est réglé, j'aimerais bien te revoir.

– Moi aussi… je… j'aimerais te revoir.

– Super ! Alors, laisse-moi ton numéro de cell et je t'appelle.

– D'accord. Tu peux aussi me donner le tien.

– Ce n'est pas nécessaire, affirma Simon. Il est souvent éteint. Je suis vraiment occupé et je m'en voudrais que tu perdes ton temps à tenter de me rejoindre.

– Simon ! cria la femme derrière la caisse. On a besoin de toi dans l'entrepôt.

– C'est ma gérante. Je serais mieux de travailler si je ne veux pas me retrouver au chômage. Alors, si on parlait chaussures, maintenant ? Tu regardais quoi ?

– Ce modèle de bottillons. J'hésite parce que… je les trouve un peu hauts, mentit Mathilde, gênée d'avouer que c'était l'argent qui lui faisait défaut.

– C'est le modèle que je vends le plus justement parce qu'il est haut. En plus, il fait des jambes infiniment longues. Fais-moi confiance. Avec ça, tu seras encore plus attirante que tu l'es déjà.

Simon s'était approché de l'oreille de Mathilde pour lui souffler sa dernière réplique et lorsqu'il frôla la peau de son cou avec sa joue, l'adolescente frissonna jusqu'à la racine des cheveux. Ensorcelée, elle répondit qu'elle achetait la paire de bottillons.

Simon amena Mathilde à la caisse, y déposa la boîte de chaussures et lui fit un clin d'œil.

– Bonne journée et revenez nous voir ! lui lança-t-il en faisant comme si rien n'était.

– J'y compte bien, répondit Mathilde, dont la carte de débit était désormais aussi légère que son cœur.

– QUOI ?! cria le père de Mathilde quand elle lui avoua son achat impulsif.

– Papa, j'ai mal calculé et…

– Je te faisais confiance, ma fille. Tu savais que tu avais un montant à respecter et tu l'as dépassé.

– Mais papa, je suis désolée, c'est seulement que…

– Arrête de me dire que tu as mal calculé. Ça ne change rien au résultat. Tu as toujours respecté les règles, Mathilde. Je pensais que tu étais assez vieille pour gérer ton argent correctement. Tu devras me rembourser les cent cinquante dollars que tu as dépensés sans mon autorisation.

– Mais où veux-tu que je trouve tout cet argent ? Je pourrais les retourner au magasin…

– Il n'en est pas question ! Ce serait beaucoup trop facile. Tu as de l'argent de poche et tu n'auras qu'à accepter plus souvent de garder des enfants. J'attendrai de toi quinze dollars par semaine jusqu'à ce que ta dette soit complètement remboursée. Le sujet est clos, conclut son père en quittant la pièce d'un pas furieux.

Mathilde était surprise. Jamais son père ne lui avait parlé ainsi. Il le faisait avec Chloé, mais pas avec elle ! Elle n'aimait pas les remords qu'elle ressentait et regrettait amèrement son achat. La journée se termina comme elle avait commencé : humeur maussade, nuage et gouttes de pluie dans les yeux de Mathilde.

5
Le début d'une histoire

Joanie n'avait pas l'habitude de se regarder dans le miroir. Sauf que ce matin, elle était hésitante. L'école était commencée depuis une semaine et elle aurait aimé que les garçons fassent plus attention à elle. Son look de « sportive au naturel » et sa nouvelle envie de plaire au sexe opposé ne semblaient pas vouloir s'accorder. Elle soupira.

Absorbée par son reflet, elle n'avait pas remarqué que sa mère était sur le pas de la porte et qu'elle la regardait, l'air paisible. Liliane était très fière de sa fille, qui faisait preuve d'une maturité surprenante pour son âge. C'était en grande partie parce qu'elle avait côtoyé la maladie qu'elle était devenue si responsable. Un peu trop même. Liliane tentait le plus possible de ne pas constamment demander de l'aide à sa fille et quand elle devait le faire, c'était à contrecœur.

Elle s'avança vers sa fille et l'embrassa sur le front. Surprise de voir sa mère debout aussi tôt, Joanie demanda sur un ton inquiet :

– Est-ce que ça va, maman ? Tu ne devrais pas être debout à cette heure. Viens que je te reconduise à ta chambre.

Elle lui prit la main, mais au lieu de la suivre, Liliane l'attira contre elle. Joanie hésita un peu, mais finit par se laisser aller et s'abandonna dans les bras de sa mère pour un long câlin. C'était si bon !

– Je vais bien, la rassura-t-elle. J'avais un peu d'énergie ce matin. Et toi, comment ça va, ma grande ?

– Ça va.

– Certaine ? Parce que j'ai l'impression que quelque chose te tracasse ces temps-ci.

– …

– Même si je suis malade, Joanie, je suis là si tu as besoin. Est-ce que je vais devoir te chatouiller comme quand tu étais petite pour que tu me parles ? la menaça gentiment Liliane en souriant.

– Non, maman ! Surtout pas. Tu te fatiguerais. Rassure-toi, je vais bien. C'est seulement la rentrée des classes qui me fatigue. Ça va passer, comme chaque année.

– Tu es certaine que c'est tout ?

Dans les bras de sa mère, Joanie se dit qu'elle aimerait arrêter le temps et rester ainsi toute sa vie. Tant de nouvelles choses la préoccupaient, cette année : la fin du secondaire, son admission au cégep, les garçons.... Elle aurait aimé redevenir la petite fille qu'elle était avant la venue de ses frères, alors qu'elle pouvait être insouciante, s'amuser toute la journée et ne rien connaître des questionnements de l'adolescence. Prenant une profonde inspiration avant de se confier, elle huma le parfum de sa mère, qui dégageait une odeur rassurante de vanille.

– Maman, j'aimerais parfois être quelqu'un d'autre. Je me trouve si ordinaire !

– Pourquoi dis-tu ça ?

– J'ai les cheveux courts alors que toutes les filles ont les cheveux longs... Je m'habille sans suivre la mode alors qu'elles ont un style nouveau genre... Les gars ne me remarquent même pas.

– Pourtant tu es très jolie.

– Tu me le dis tout le temps, mais ça ne compte pas, je suis ta fille !

– C'est vrai que je te le répète souvent, mais c'est parce que c'est la vérité. Oui, tu es différente à l'extérieur, mais c'est justement cette originalité qui fait tout ton charme. Pour le reste, tu es une ado comme les autres : tu aimes aller au cinéma, tu te poses des questions, tes amies sont ce qui compte le plus, tu veux être indépendante et... tu as envie de plaire aux gars. Tu vois, à l'intérieur tu es comme les autres.

Joanie leva la tête et regarda sa mère dont la voix avait faibli. Elle n'osa pas lui dire qu'elle doutait de ses propos, que ses encouragements étaient gentils, mais qu'elle se sentait moche quand même. Non, ça lui ferait trop de peine. Alors, pour apaiser ses inquiétudes, elle lui murmura plutôt qu'elle avait raison. Liliane sourit tout en lui caressant les cheveux.

– Je t'aime, ma fille, et je suis fière de toi.

Émue par ses paroles, Joanie lui prit la main pour la raccompagner vers sa chambre. Les forces de sa mère diminuaient. Celle-ci laissa sa fille la border et l'embrasser sur le front. Elle la regarda partir en essuyant une larme ; elle avait si peur de ne plus être là pour aider sa grande à devenir la femme qu'elle pouvait être.

Laurence et Mathilde s'inquiétaient sérieusement pour Joanie qui, pour la première fois, n'était pas à l'heure. Où pouvait-elle bien être ? Les cours allaient commencer dans quinze minutes – et aucun signe de leur amie. Lorsque la cloche sonna, les filles se regardèrent, en proie à une inquiétude soudaine : et si c'était sa mère qui avait été hospitalisée à nouveau ? Elles furent donc rassurées quand la porte de la classe s'ouvrit et qu'elles entendirent leur amie s'excuser de son retard auprès du professeur. Ce dernier, au courant de la situation familiale de Joanie, ne posa aucune question et l'invita à prendre place.

L'adolescente s'installa à son pupitre et écrivit un petit mot pour rassurer ses amies : « Tout va bien. Je me suis levée en retard. » Elle le glissa en douce à Mathilde qui le lut et le refila à Laurence.

Le retard de Joanie expliqué, les filles pouvaient maintenant se concentrer sur le contenu du cours. Difficile, car aucune d'elles n'aimait l'anglais ! Pourtant, ce matin-là, le professeur fit une annonce qui capta leur attention : ceux et celles qui auraient une moyenne de quatre-vingt-cinq pourcent et plus, auraient la possibilité de participer à un voyage à Toronto. Ils pourraient ainsi parler anglais tout en découvrant la ville et ses principales attractions. Les filles se regardèrent, emballées par cette possibilité. Seule Mathilde se questionna quant à sa capacité d'atteindre cette moyenne… Elle était tout à fait consciente de ses lacunes en anglais, tandis que ses amies s'en tiraient plutôt bien.

La cloche annonça la fin du cours. Le trio en profita pour parler du voyage et se promit de s'entraider pour que toutes puissent y aller. Au même moment, le cellulaire de Mathilde vibra. Un message texte. UN MESSAGE DE SIMON ! Elle n'en revenait pas. Elle s'arrêta pour le lire pendant que Joanie et Laurence continuaient d'avancer.

Elle était si surprise qu'elle dut relire le message au moins trois fois pour être certaine qu'elle ne rêvait pas. Simon lui disait qu'il serait en ville le soir même et qu'il aimerait bien la voir. Ses amies étaient également invitées, car les gars seraient avec lui. Dans le fond, c'était bien que tout le monde soit là. Sa mère ne se douterait de rien et elle pourrait passer la soirée en compagnie de Simon. Mathilde était si fébrile qu'elle passa devant la porte de son local sans la voir. Cette fois, c'est elle qui arriverait en retard.

Wow ! Mathilde avait enfin reçu le message tant attendu de Simon. Malheureusement, il lui fallait encore attendre jusqu'à ce soir pour le voir. Elle avait tellement hâte !! Mais, qu'allait-elle bien pouvoir porter ? Devait-elle remonter ses cheveux ou non ? À la fin du cours, Mathilde s'empressa d'informer ses amies qu'un rendez-vous important les attendait, toutes les trois, et qu'elles devaient se préparer.

– Devinez qui m'a envoyé un message, tout à l'heure ?

– À voir ton expression d'extase, c'est certainement le beau Simon, répondit Laurence avec amusement.

– OUI !!! Imaginez-vous donc qu'il sera ici, ce soir, avec ses amis.

– Antoine aussi ? Est-ce qu'il a dit qu'il voulait me revoir ? s'enquit une Laurence soudain tout excitée.

– Lau, la coupa Joanie, laisse-la finir de parler.

– Oui, Antoine sera là.

– Et William ? ne put s'empêcher de demander à son tour Joanie.

– Oui, oui. Je vous dis qu'ils seront *tous* là et qu'ils veulent *nous* voir toutes les trois. Est-ce que je dois répéter une fois de plus ?

– Non, non. On a compris. De toute façon, on n'a plus une minute à perdre. On doit penser à ce qu'on va porter. Toi, Jo, ce sera certainement un jeans et un t-shirt ? émit Laurence.

– Pourquoi tu dis ça ? se fâcha Joanie.

– C'est toujours ce que tu portes. Je ne vois pas en quoi ma déduction te dérange.

– Oui, figure-toi que ça me dérange, rétorqua Joanie. Et puis tu sais quoi ? Je ne porterai rien de spécial parce que je ne sortirai pas ce soir ! Ma mère a besoin de moi.

Joanie quitta aussitôt ses deux amies en marchant d'un pas rapide, blessée par la remarque de Laurence. Habituellement, elle ne se fâchait pas mais, avec la remise en question qu'elle vivait depuis quelque temps, les paroles de son amie l'avaient blessée. Ce soir, William sera là et elle aurait aimé porter quelque chose de joli, de différent et d'accrocheur, pour lui plaire. Comment pouvait-elle se démarquer alors que Laurence épaterait toute la galerie avec son super look à la mode ? D'emblée, elle n'avait aucune chance de se faire remarquer alors aussi bien rester chez elle avec son style ordinaire et insipide.

Mathilde rattrapa Joanie et la retint par le bras pendant que Laurence les rejoignait. Cette dernière était très étonnée de la réaction de Joanie, car pour elle, son amie vivait très bien avec son look de sportive au naturel. Elle était belle comme ça, sans fla-fla. Elle-même le disait ! Pourquoi s'en offusquait-elle, tout à coup ? Sans chercher la réponse plus longtemps, Laurence s'excusa.

– Jo, je suis désolée. Je ne pensais pas te blesser… Je ne vois vraiment pas pourquoi tu voudrais changer de style.

– J'aimerais bien que William me remarque. Pour toi, Lau, c'est facile. Tout le monde te regarde quand tu entres dans une pièce. On te trouve jolie et drôle. Ce qui n'est pas mon cas. J'aurais aimé que ce soit différent ce soir…

– Je peux te donner plein de conseils, si tu veux… tenta Laurence.

– C'est bon, Lau, intervint Mathilde, tu en as assez fait pour aujourd'hui. Jo est assez grande pour savoir quoi faire. Et puis, c'est une fille intelligente et adorable. William saura s'en rendre compte par lui-même. Si tu pouvais seulement prendre un peu moins de place, ce soir, ça nous rendrait service à toutes les deux.

– Je peux bien me tenir tranquille, mais ce n'est pas moi qui décide de l'attention que m'accordent les gars…

– Bon, on se dit à tantôt, les filles ? conclut Mathilde pour éviter que la situation s'envenime.

– Oui, à ce soir !

Chacune partit de son côté. Laurence pensait à son choix de bijoux, Joanie se demandait si elle devait y aller et Mathilde, quant à elle, tentait de se convaincre qu'elle ne rêvait pas : elle allait revoir Simon ! Que la vie était belle !

6
Les dangers de l'interdit

Le tambourinement discret sur la porte de la chambre de Mathilde resta sans réponse. On pouvait entendre jouer à plein volume une musique assourdissante. Sylvie attendit quelques secondes et frappa plus fort. La porte s'entrouvrit et un œil à demi maquillé la dévisagea, un peu offusqué de se faire déranger en pleine séance de métamorphose beauté. Sylvie sourit et demanda à sa fille de baisser le volume. Cette dernière obtempéra par un signe de tête et referma aussitôt la porte. « Ouf ! Elle n'a rien remarqué, pensa l'adolescente. Elle m'aurait posé une tonne de questions ! » Habituellement, Mathilde se maquillait très peu. Elle utilisait parfois un peu de mascara, sans plus. Mais ce soir, c'était différent. Ses amies et elle sortaient avec des gars !

Joanie et Mathilde avaient dessiné une ligne noire sur leurs paupières, juste au-dessus des cils, pour accentuer leur regard. Elles avaient appliqué trois couleurs d'ombre à paupières : du rose scintillant sur toute la paupière mobile, du mauve givré sur le coin extérieur pour découper l'œil et du blanc velouté sur l'arcade sourcilière pour ajouter un point de lumière. Un rouge à lèvres framboise complétait le tout. Les filles étaient satisfaites du résultat.

Simon avait appelé Mathilde pour lui donner le lieu du rendez-vous. C'était un petit bar tranquille dans le bas de la ville où les trois filles pourraient entrer facilement, car Antoine connaissait le portier. Simon lui avait offert d'aller les chercher au restaurant et de les ramener tôt. Flattée de cette attention, Mathilde lui avait répondu qu'elle allait vérifier avec ses amies. L'invitation de Simon avait laissé l'adolescente perplexe. Elle savait que ses parents refuseraient qu'elle sorte dans un bar et ceux de Joanie aussi.

Lorsqu'elle en avait parlé avec cette dernière, sa réaction avait été semblable à la sienne. Seule Laurence avait sauté de joie. Sa mère était d'accord pour qu'elle fréquente les bars à condition qu'elle ne boive pas plus d'une consommation et qu'elle rentre avant minuit. Les deux autres, qui la trouvaient très chanceuse, s'étaient retrouvées devant un dilemme. Elles avaient eu le choix de mentir à leurs parents (encore !?) et risquer de se faire prendre, ou de refuser l'invitation et d'éviter ainsi de mentir. Toutes deux savaient que pour un mensonge de la sorte, les conséquences seraient monumentales si elles se faisaient prendre. Mais d'un autre côté, si elles n'y allaient pas, leur soirée serait assurément ennuyante et la chance de sortir avec les gars ne reviendrait peut-être pas. Quel gâchis ! Après en avoir discuté longuement, les deux complices avaient conclu qu'une fois n'était pas coutume. Il serait moins pénible de se sentir coupable que de refuser l'invitation de leur vie. Quand Simon avait rappelé Mathilde, elle lui avait répondu fièrement qu'elles seraient là à vingt et une heures tapantes.

La montre de Laurence indiquait vingt heures cinquante quand elle arriva au point de rencontre. Ses deux amies étaient déjà là, l'attendant à l'extérieur du restaurant. C'est à peine si elle reconnut Joanie, totalement transformée. Son maquillage lui donnait un air malicieux et elle avait troqué son traditionnel jeans pour un pantalon ajusté et des talons hauts. Son t-shirt avait laissé la place à un gilet ultramoulant avec un décolleté en « V » qui laissait voir légèrement le galbe de sa poitrine.

La principale intéressée, quant à elle, ressentait un étrange malaise et se questionnait encore sur son habillement. Mathilde lui avait assuré qu'elle était super et que William la remarquerait plus. Joanie refoula donc son sentiment de malaise et sourit à Laurence, qui s'exclama devant sa nouvelle allure.

– Wow, Jo ! Tu es vraiment belle ! William ne pourra jamais regarder ailleurs, je te le jure.

– Venant de ta part, je le prends comme un compliment, dit Joanie en s'efforçant de sourire.

L'effusion de compliments se terminait lorsqu'une voiture s'arrêta près du trio et klaxonna. La porte du passager s'ouvrit et Antoine sortit en sifflant devant tant de beauté rassemblée devant lui.

– Le carrosse de ces dames est arrivé ! Si vous voulez bien monter.

– Certainement ! se dépêcha de répondre Laurence en prenant les devants et en allant s'asseoir à la place vacante sur le siège arrière.

Joanie et Mathilde n'eurent d'autre choix que de s'asseoir sur les genoux de William et Pascal.

– Désolé pour le manque de place, les filles, s'excusa Simon en regardant dans le rétroviseur, on n'avait qu'une voiture de disponible. Mais je suis certain que des aventurières comme vous ne seront pas trop incommodées.

Laurence rétorqua aussitôt :

– T'inquiète pas, on a déjà vu pire !

Ses deux amies, elles, pensaient tout autrement. Joanie se répétait mentalement que c'était imprudent d'être aussi nombreux dans une seule voiture. Quant à Mathilde, elle s'inquiétait des risques qu'elle prenait pour une simple histoire de gars. Aucune des deux n'émit pourtant de commentaires, ne voulant pas être étiquetées de poules mouillées.

Heureusement, la route était belle et le bar se trouvait à quelques minutes en voiture. Même si le trajet fut court, les filles furent soulagées de toucher le sol. Elles inspirèrent un bon coup pour ensuite expirer toute l'anxiété générée par cette brève balade.

Antoine prit la tête du groupe et se dirigea vers le portier. Laurence se greffa à lui en le prenant par le bras. Pascal et William lui emboîtèrent le pas, tandis que Joanie, Mathilde et Simon suivaient derrière.

À l'intérieur, l'ambiance était animée : musique forte, lumières tamisées, groupes de gens dans chaque coin qui parlent, rient et trinquent. En voyant cela, les filles réalisèrent qu'elles étaient dans la cour des grands. Elles devaient se montrer à la hauteur de la situation et jouer les habituées de ce genre d'endroit. Aucun droit à l'erreur.

– Venez, les filles, on va s'installer à la table bistro à côté du bar, indiqua William.

– Comme ça, vous serez juste à côté des toilettes pour y aller toutes en même temps, ajouta Pascal en riant.

– On a passé l'âge d'aller à la toilette ensemble, le grand, rétorqua Laurence.

– Peut-être, mais vous n'avez pas l'âge d'être ici.

– Ça suffit, Pascal, intervint Simon. Tu ne vas pas recommencer…

– Si personne n'entend à rire, je vais aller voir ailleurs si j'y suis. Bonne soirée avec vos jeunes poulettes, les gars !

Aucune des filles ne le dit, mais toutes furent soulagées.

– Laissez-le faire. Il est de mauvais poil ce soir, le défendit William.

– Ouais, comme l'autre soir, rétorqua Laurence du tac au tac.

– Alors, qu'est-ce que vous buvez ? lança Simon pour changer de sujet. C'est ma tournée !

N'ayant pas l'habitude de consommer de l'alcool, les trois amies ne savaient pas quoi commander. Aussi, Mathilde regarda les bouteilles de bière des gens à la table d'à côté et reconnut une marque que son oncle buvait. Elle en commanda une. Laurence et Joanie l'imitèrent. Pendant ce temps, les gars discutaient afin de déterminer qui serait le chauffeur désigné. William se dévoua et commanda une boisson gazeuse. Devant le regard admiratif de Joanie, il répondit simplement : « Je n'ai pas besoin de prendre de la bière pour avoir du plaisir ! » L'adolescente prit son courage à deux mains et sauta sur l'occasion pour entamer la discussion. Après quelques questions et des réponses expéditives de la part de William, Joanie fixa le plancher et se surprit à lui dire :

– Je t'embête avec toutes mes questions ?

– Non, pas du tout.

– Alors tu ne me trouves pas intéressante ? Ça va, je suis habituée, tu sais…

– Non, ce n'est pas ça… C'est que l'autre jour, au resto… Oh et puis laisse faire, ce n'est pas important.

– Pour moi ça l'est. Continue.

– Eh bien, la première fois qu'on s'est vus, j'ai aimé ton style naturel. Les filles maquillées ne sont pas trop mon genre et je pensais que j'avais rencontré une fille différente. Sauf que ce soir, tu es devenue une fille comme les autres et je trouve ça dommage.

– Alors tu préfères mon look de l'autre soir ?

– Oui, je sais, ce n'est pas très commun, mais je déteste tout ce qui est superficiel.

– Je n'en reviens pas… Moi qui pensais qu'en étant plus sexy, j'avais plus de chance de t'intéresser !

Oups ! Joanie se rendit compte qu'elle avait trop parlé. William ouvrit grand les yeux et eut un sourire en coin. Rouge comme une tomate, elle tenta de reprendre ses dernières paroles, mais William la devança.

– Tu n'as pas besoin de changer pour qu'on te remarque. Tu es une jolie rousse et ça, c'est spécial. En tout cas pour moi. Les filles avec des taches de rousseur ont un petit quelque chose qui me plaît.

– Sérieux ?

– Eh oui. Même si tu es très belle ce soir, je te préfère au naturel.

– Ouais, moi aussi. Je ne me sens pas vraiment à l'aise maquillée et habillée de cette façon. Même d'être ici, ce n'est pas dans mes habitudes.

– On pourrait aller au café Internet juste à côté.

– Très bonne idée !

Mises au courant, Laurence et Mathilde lui souhaitèrent une belle soirée. Elles l'attendraient dans le bar à onze heures trente pour le départ. Toutes deux s'amusaient beaucoup et elles n'avaient pas envie de s'en aller. Surtout Mathilde, que Simon ne lâchait pas d'une semelle : « Est-ce que ça va ? », « Si un gars t'aborde, fais attention. Ici, ils sont parfois bizarres », « Reste près de moi, il ne t'arrivera rien ». Elle se sentait très flattée de toute cette attention et aimait bien le petit côté protecteur de Simon. Elle jeta un regard autour d'elle et constata qu'en plus, Simon était le plus beau gars du bar. Et il était avec elle !!!

– Est-ce que je t'ennuie ? C'est pour ça que tu regardes ailleurs ? s'enquit Simon.

– Non, au contraire. Je suis si contente d'être ici avec toi ! On dirait que c'est irréel !

– Et c'est pour ça que tu regardes tous les gars, sauf moi ? lança-t-il sur un ton sérieux, un peu cassant.

–Non, pas du tout. Je… je trouvais que j'étais avec le gars le plus… beau… et que… j'étais chanceuse, admit Mathilde, que ses aveux gênaient.

– Vraiment ? se radoucit-il. Mais c'est moi qui suis chanceux d'être avec la plus belle fille du bar. Tous les autres me dévisagent parce qu'ils sont jaloux.

À partir de ce moment, à cette seconde près, le monde autour d'eux disparut. Le temps s'arrêta. Simon s'approcha et prit Mathilde par la taille. Doucement, sa main gauche se posa sur son bras et monta vers son cou, flattant chaque parcelle de la peau de l'adolescente. Sa paume s'arrêta sur la joue rosie d'excitation de Mathilde. Emportée par l'intensité du moment, elle laissa Simon explorer du bout des doigts son cou, ses joues, ses cheveux et ses épaules. Il approcha sa bouche. La jeune fille ferma les yeux et attendit le baiser ultime. Il posa ses lèvres sur les siennes et l'attira vers lui pour que le baiser puisse s'éterniser. Quelqu'un passa tout près et les bouscula.

– On pourrait s'installer là-bas, murmura-t-il. On serait plus tranquilles.

– Hum… mm, répondit Mathilde toujours sous l'envoûtement de cette bouche aux lèvres gourmandes.

En douce, pendant que Laurence et Antoine se dévoraient des yeux et se frottaient le bout du nez, le duo se dirigea vers le fond du bar. Enfin seuls, ils purent se parler sans crier, doucement :

– Tu es très belle ce soir, Mathilde, avoua Simon.

– N'exagère pas… Tu dis cela juste pour me faire plaisir.

– Pas du tout. Si je le dis, c'est que je le pense. Je ne suis pas un menteur ni un profiteur.

– Ce n'est pas ce que j'ai voulu dire… désolée.

– Ça va. Ça n'empêche pas que ce soir, c'est toi la plus belle.

À nouveau rouge jusqu'à la racine des cheveux, Mathilde se contenta de répondre un timide « merci ».

– Alors, tes bottillons, tu les aimes ? demanda Simon pour dissiper la gêne.

– Oui, ils sont comme tu me l'avais dit : très confortables et vraiment *fashion*.

– J'ai toujours raison, voyons ! Je ne me trompe jamais côté chaussures. Surtout quand je sers quelqu'un qui me plaît beaucoup.

– Je n'étais pas certaine que tu allais me rappeler après notre rencontre au centre commercial. Tu sais, plusieurs gars font des promesses qu'ils ne tiennent pas.

– Je ne suis pas comme les autres gars. Je ne drague pas pour draguer et sortir avec le plus de filles possible. Ce n'est vraiment pas mon genre. Je suis le gars d'une seule fille et quand j'en choisis une, les autres n'existent plus. Elle est la seule qui compte pour moi. Même si la fille la plus sexy me faisait de l'œil, je ne la verrais pas parce que je suis fidèle. Une fille pour laquelle il n'y a que l'apparence qui importe, comme ton amie Laurence, ce n'est pas pour moi. Je préfère les filles intelligentes qui ont des choses à dire. Comme toi. Tu es belle ET intelligente, en plein ce qui m'attire…

– Tu ne trouves pas Laurence attirante ? C'est impossible ! Tous les gars n'ont d'yeux que pour elle. Joanie et moi passons tout le temps inaperçues quand elle est avec nous…

– C'est toi la plus belle des trois, crois-moi. Laurence en fait trop et Joanie, c'est le contraire : on ne la voit pas.

Mathilde n'en revenait pas. Un gars, et pas n'importe lequel, lui disait qu'elle était mieux que Laurence ! C'était du jamais-vu ! Elle n'arrivait pas à croire que Simon la préfère elle, avec sa petite poitrine et ses cheveux bruns sans coloration. Cette soirée était pleine de rebondissements et Mathilde souhaita qu'elle ne finisse jamais.

Avant de l'embrasser à nouveau, Simon lui dit qu'il aimerait bien la revoir la semaine suivante, question de faire un peu plus connaissance. Elle accepta avec joie et n'eut pas le temps de terminer sa phrase : la bouche de Simon s'était emparée sensuellement de la sienne.

L'heure du départ sonna avec l'arrivée de Joanie et William. Il était temps de rentrer. Tout le monde se dirigea vers la voiture. Même Pascal, qui sembla surgir de nulle part. Chacun reprit sa place initiale et la nervosité s'empara à nouveau de Joanie et Mathilde. « Pourvu qu'on arrive saines et sauves ! » pensa cette dernière.

Arrivés à l'angle du boulevard principal, le feu de circulation passa au jaune et Simon accéléra pour éviter le feu rouge. Mais le temps lui manqua et il se ravisa à la dernière minute en freinant brusquement. L'arrêt fut brutal et les deux filles qui n'étaient pas attachées furent projetées contre le siège devant elles. Joanie se cogna le nez sur l'appui-tête et se mordit la langue. Un peu sonnées, Mathilde et elle reprirent leur place sur les genoux de Pascal et William pendant que Simon demandait si tout allait bien. Tremblantes et sous le choc, elles restèrent silencieuses. Laurence répondit un faible « ça va ! ». Le reste du trajet sembla durer une éternité.

La voiture s'immobilisa enfin devant le restaurant pour laisser les filles terminer leur chemin à pied. Elles marchèrent cinq minutes en silence. Chacune comprenait lentement ce qui venait de se passer. Elles auraient pu être blessées… transportées à l'hôpital… la police… leurs parents avertis… À l'intersection où elles prenaient des directions différentes, Joanie prit la parole :

– Est-ce que ça va ?

– Ouais, répondirent ses amies.

– Eh bien moi, j'ai vraiment eu peur. S'il avait fallu que nous soyons blessées et que nos parents soient prévenus…

– Mais ce n'est pas arrivé. Il ne faut pas en faire un drame, intervint Laurence.

– Écoute, Lau, dit Mathilde. Peut-être que pour toi, ce n'est rien, mais pas pour moi. Devoir avouer à mes parents où j'étais et avec qui, c'est une chose, mais être blessée et leur causer une tonne de soucis, ça m'enlève le goût de recommencer…

– Ça ne me tente pas de terminer mon secondaire à l'hôpital, reprit Joanie. Lau, tu ne prends jamais rien au sérieux, mais dis-toi que ce n'est pas ça la vraie vie. On a pris un risque inutile et…

– Ne me parle pas comme ça, Jo, la coupa Laurence. Moi aussi, j'ai eu peur, figure-toi ! Mais je refuse d'imaginer le pire, ça ne sert à rien.

– Il ne faut pas non plus tout banaliser, s'impatienta Mathilde. En tout cas, pour moi, c'était la première et la dernière fois.

– Pour moi aussi, affirma Joanie.

– D'accord, on ne recommencera pas, céda Laurence. Et pour ce soir, on n'en parle plus. On est toutes les trois mortes de fatigue et avant que notre discussion dégénère, je pense qu'il vaudrait mieux aller dormir.

– Tu as raison, fit Joanie en soupirant. On en reparlera une autre fois…

Mathilde accepta aussi par un signe de tête et elles se souhaitèrent bonne nuit. Chacune poursuivit sa route pour rentrer à la maison. Dans les trois demeures, les lumières étaient éteintes et les parents au lit. Silencieusement, Joanie, Mathilde et Laurence montèrent à leur chambre et se laissèrent tomber sur leur lit. Le sommeil les gagna rapidement, mais leur nuit fut peuplée de rêves effrayants.

7
Amitié en péril

La dernière semaine de septembre s'annonçait aussi sombre que le regard de Laurence ce jour-là. Assise dans l'autobus qui la conduisait à l'école, Laurence était perdue dans ses pensées lorsqu'elle sursauta. Les arrêts brusques en voiture la faisaient encore réagir même si l'incident datait de deux semaines. Déjà deux semaines. C'était la dernière fois qu'elle avait vu Antoine. Elle n'avait même pas reçu de texto. Comment pouvait-il rester silencieux alors que Joanie et Mathilde avaient eu des nouvelles de William et Simon ?

La première semaine, Laurence s'était dit qu'il devait être occupé ou qu'il avait perdu son numéro. William avait confirmé sa première hypothèse, car il lui avait appris qu'Antoine était à la pêche avec son beau-père. Mais Laurence entamait aujourd'hui sa deuxième semaine d'attente et le silence perdurait. Elle jouait l'indifférente en affirmant que cela lui importait peu puisqu'elle ne le trouvait pas trop intéressant, mais à l'intérieur, elle fulminait. Comment se faisait-il que Joanie et Mathilde fréquentaient des garçons, mais pas elle ? C'était à n'y rien comprendre...

Joanie marchait vers la salle de classe lorsqu'elle croisa Laurence et la salua. D'un air boudeur et morose, cette dernière répondit du bout des lèvres. Arriva ensuite Mathilde, qui lança un « bonjour les filles » des plus énergiques. N'ayant aucune réponse, elle reprit un peu plus fort :

– BONJOUR LES FILLES ! Ça va ?

– Oui, très bien, répondit Joanie.

– Ouais, moi aussi.

– Alors, dites-le à vos faces parce qu'elles n'ont pas l'air de le savoir !

– En tout cas, toi, tu as l'air en pleine forme. Qu'est-ce qui se passe de spécial ? demanda Laurence.

– Imaginez-vous donc que je vais au cinéma avec Simon ce soir. C'est la première fois qu'on se revoit depuis notre baiser. On s'est parlé souvent sur MSN, mais ce n'est rien comme se voir en personne. Je suis si énervée !! Croyez-vous qu'il va m'embrasser encore ?

– Mais… on ne devait pas réviser notre anglais, ce soir ? émit Joanie.

– J'ai pensé qu'on pourrait remettre ça…

– Et tes parents ont accepté que tu y ailles ? demanda froidement Laurence. Ça me surprend, d'habitude ils refusent que tu sortes la semaine.

Surprise par le ton de son amie et son commentaire, Mathilde resta interdite.

– C'est vrai ça, Mathy, renchérit Joanie. Tes parents sont assez stricts. Tu ne peux jamais venir réviser chez moi ou chez Lau en semaine.

– Je sais, mais ils ont accepté pour cette fois. J'ai eu une bonne note dans mon dernier examen de math. Vous savez à quel point j'ai de la difficulté, alors quand j'ai une note de 90 % et plus j'ai droit à une permission spéciale.

– Et pour Simon, tu leur as dit ? insista Laurence.

– Oui, mais je n'ai pas parlé du baiser. Je leur ai simplement dit qu'un ami m'invitait au ciné. Mon père était méfiant, sauf que ma mère lui a rappelé qu'on pouvait me faire confiance.

– Qu'est-ce que vous allez voir ? demanda Joanie.

– Pfff ! S'ils regardent le film… siffla Laurence.

– Je ne sais pas ce qui se passe, Lau, mais tu es vraiment désagréable. On dirait que tu n'es pas heureuse de ce qui m'arrive !

– J'ai mal dormi cette nuit, désolée…

– Je n'ai pas à subir ta mauvaise humeur !

– Je viens de te dire que je suis désolée. Je suis contente que tu puisses revoir Simon. Ça te va ? Et toi, Jo, qu'est-ce que tu fais ce soir ? On pourrait peut-être aller au resto ?

– Ce soir, je ne peux pas. Je dois aider ma mère parce que mon père travaille tard.

– Je peux aller t'aider si tu veux. Ce serait moins ennuyant que de rester seule à la maison.

– C'est que… je ne serai pas seule. William m'avait invitée au ciné après la révision et comme je ne pouvais pas y aller, il a offert de louer un film et de venir passer la soirée avec moi.

– Eh bien, c'est ça ! Surtout, ne vous sentez pas coupables de me laisser seule ! Je vous souhaite toutes les deux une belle soirée. Moi, je vais me morfondre seule…

Laurence tourna les talons et entra dans la classe. Elle s'installa ensuite bruyamment à son pupitre. Ses amies ne savaient pas comment apaiser sa colère. Cette situation ne s'était jamais produite et elles se sentaient déchirées. Le professeur ferma la porte et s'adressa aux élèves :

– Avant de commencer, je tiens à vous reparler du voyage à Toronto. Nous sommes maintenant à la fin septembre et je voudrais avoir une idée du nombre d'élèves qui veulent y participer. Je vais faire circuler une feuille d'inscription où vous indiquerez vos coordonnées. Cela témoignera simplement de votre intérêt. Vos notes décideront si vous serez du voyage ou non.

Pratiquement tous les élèves ajoutèrent leur nom et cela angoissa Mathilde. Elle savait très bien qu'elle n'était pas parmi les meilleurs. Une chance que ses amies avaient accepté de l'aider ! Seule, elle n'y arriverait pas. Elle hésita avant de signer. Et si Joanie et Laurence changeaient d'idée ? « Non. Impossible », se dit-elle en apposant sa signature sur la feuille. À la fin du cours, elle voulut s'en assurer en leur posant la question.

– C'est certain, dit Joanie. Ce voyage-là, on le fait ensemble ou on ne le fait pas. Lau et moi, on va…

– Oh ! Parce que maintenant je suis dans vos plans ! l'interrompit Laurence. « Lau, aide-moi à réviser, mais pas ce soir, je suis occupée avec un gars. »

– Tu exagères ! C'est la première fois que ça arrive ! se défendit Mathilde. Et je ne vois pas en quoi ça te dérange. On peut facilement déplacer notre soirée d'études.

– Ouais… On verra si j'ai du temps.

– Lau, c'est du chantage ! se fâcha Joanie. Mathy a le droit de changer les plans. Si c'était toi, tu ferais la même chose !

– Non, je ne laisserais aucune de vous deux toute seule. Les amies, c'est ce qu'il y a de plus important.

– C'est vrai, se ravisa Mathilde. On s'est tout le temps promis que notre amitié passerait en premier. Je vais appeler Simon et lui dire que tu viens avec nous au ciné. Est-ce que ça te tente ?

– Ouais, j'avoue que nous te négligeons un peu avec nos histoires de gars… admit Joanie à son tour. Si tu ne vas pas au ciné, tu n'as qu'à venir à la maison pour regarder le film avec William et moi.

– Vous feriez ça ? s'emballa Laurence. Je suis très touchée. Les deux offres me tentent… Je vais y penser et je vous rappelle !

Elle embrassa ses amies sur les joues et sortit de la classe avec un sourire indéchiffrable. Mathilde et Joanie restèrent muettes devant ce soudain changement d'attitude.

Même si les parents de Mathilde avaient accepté qu'elle aille au cinéma avec un garçon, ils n'avaient pas baissé la garde parentale pour autant. Ils attendaient impatiemment de faire la connaissance du jeune homme qui sortait avec leur fille. Aussi, quand Simon arriva, il fut accueilli en bonne et due forme... par une série de questions ! Le jeune homme connaissait la routine pour l'avoir déjà vécue et il s'y conforma aisément. Il fut poli avec le père et charmant avec la mère. Tout se passa à merveille.

Toutefois, son attitude changea quelque peu dans la voiture. Il resta d'abord silencieux et ensuite relégua son sourire aux oubliettes. Il prit ensuite un ton sérieux et demanda :

– Ton père me regardait drôlement. Est-ce qu'il agit comme ça avec les autres ?

– C'est que... c'est la première fois que je sors avec un gars. N'y fais pas attention, il est protecteur, c'est tout. Tu as été parfait avec eux.

– Je suis vraiment le premier que tu présentes à tes parents ?

– Oui. Tu dois trouver ça...

– Ça me va, coupa Simon. Je n'aime pas les filles qui ont fréquenté trop de gars. Je veux être spécial pour ma copine. Je ne suis pas n'importe qui et je ne veux pas sortir avec n'importe quelle fille. Je veux être unique pour elle et qu'elle soit unique pour moi. C'est ça l'amour, le vrai.

Wow ! Mathilde n'en revenait pas. Simon ne la jugeait pas même si elle n'avait jamais eu de petit copain ! En plus, il parlait d'amour avec un grand « A ». Mathilde se sentit tout à coup privilégiée. Simon suscitait chez elle un sentiment nouveau, celui de la fierté. Ce qui aurait pu lui nuire avec un autre devenait un avantage avec lui. Pour cela, elle l'en admira encore plus.

À mi-chemin du cinéma, le cellulaire de Simon sonna. Comme il était au volant, il ne répondit pas. Quelques minutes plus tard, ce fut au tour de celui de Mathilde.

– Salut Mathy, c'est Jo. Est-ce que tu as eu des nouvelles de Lau ? J'appelle sur son cell et il n'y a pas de réponse.

– Non. Comme elle ne m'a pas rappelée, j'ai pensé qu'elle allait te retrouver chez toi. Penses-tu qu'elle est encore fâchée ?

– Je ne vois pas pourquoi elle le serait. On lui a offert de se joindre à nous. Si tu as des nouvelles, appelle-moi, d'accord ?

– Oui, sans faute. Passe une belle soirée avec William…

– En passant, William et moi on sort officiellement ensemble.

– C'est vrai ? Super ! Je suis contente pour toi !

– On dirait que ça ne se peut pas, que c'est trop beau pour être vrai…

– Jo, tu es une fille adorable. Tu le mérites autant qu'une autre. Désolée, je dois raccrocher, on vient d'arriver au ciné. Bye !

– Pas de problème ! Passe une belle soirée toi aussi. Bye !

En raccrochant, Mathilde se dépêcha d'annoncer la bonne nouvelle à Simon.

– Je ne sais pas ce que William lui trouve, répondit-il. Elle a souvent l'air bête. En tout cas, ce n'est pas ma blonde qui aurait cet air-là. Moi, je les aime comme toi, avec un beau sourire.

Mathilde voulut répliquer et défendre son amie, mais Simon reçut un texto au même moment. À voir l'expression sur son visage, elle devina que le message ne faisait pas son affaire.

– Antoine m'écrit qu'il nous attend au ciné avec ton amie Laurence. On n'avait pas convenu d'y aller seuls ?

– Oui… Lau ne m'avait pas avisée qu'elle serait là.

– Tu es certaine que ce n'est pas un petit plan organisé entre vous ? Si tu préfères être avec tes amies, dis-le-moi franchement.

– Je ne savais même pas que Lau voyait Antoine ce soir. Et je te jure que ce n'est pas un plan. J'ai très envie d'être seule avec toi, promis.

– J'espère que c'est vrai. Je n'aime pas les mensonges, même s'ils sortent d'une jolie bouche comme la tienne, murmura Simon avant de l'embrasser. Moi, je meurs d'envie d'être seul avec toi. Est-ce que tu penses qu'on pourrait se faufiler dans la salle sans qu'elle nous voie ?

– Je ne sais pas… c'est mon amie et je voudrais lui parler un peu. On a un problème à régler.

– Et c'est plus important que moi ?

– Donne-moi deux petites minutes et je te promets qu'on ira voir le film seuls tous les deux. D'accord ?

– Ouais. Je n'ai pas vraiment le choix. Deux minutes, pas plus. Sinon, j'y vais en solitaire.

Ils allèrent donc à la rencontre de Lau et Antoine, qui les attendaient à l'intérieur.

– Vous voilà, les deux tourtereaux ! lança Laurence. On vous attend depuis quinze minutes.

– Et toi, depuis quand penses-tu que Jo et moi attendons ton appel ? On était inquiètes !

– Je voulais te faire la surprise.

– Eh bien, c'est réussi ! Sauf que ce n'est pas une très belle surprise. Tu aurais dû m'avertir.

– Antoine m'a invitée il y a à peine quelques heures et j'ai manqué de temps. Je devais choisir mes vêtements, coiffer mes cheveux, me maquiller…

– Tu aurais pu prendre deux minutes pour envoyer un texto à l'une de nous deux. Pour une fille qui « ne nous laisserait pas toutes seules », tu ne ressens aucun malaise à nous laisser nous inquiéter.

– Je suis désolée, Mathy. N'en fais pas tout un plat. L'important, c'est qu'on passe une belle soirée.

– Parfait ! Mais chacune de son côté. Je n'ai pas envie de la passer avec toi. Viens, Simon, on va acheter nos billets. Pendant ce temps, je vais envoyer un texto à Jo pour lui dire que Lau est ici et la rassurer.

Le couple tourna les talons pendant que le visage de Laurence virait au rouge. Décidément, ce n'était pas sa journée ! Elle se radoucit lorsque Antoine lui prit la main et lui dit :

– Nous aussi on a des billets à acheter. Laisse-la faire, demain elle aura tout oublié.

– Tu as certainement raison !

Pendant la projection, Simon regarda furtivement Mathilde à plusieurs reprises. Puis il prit sa main, qu'il caressa avec douceur. Mathilde n'avait qu'une question en tête : « Quand va-t-il m'embrasser ? » Bien sûr, elle voulait regarder le film, mais elle voulait encore plus ressentir la chaleur des lèvres de Simon sur les siennes. Elle voyait Laurence et Antoine, quelques rangées plus bas, qui passaient leur temps à s'embrasser et une pointe d'envie la tiraillait. Elle soupira sans s'en apercevoir.

– Tu n'aimes pas le film ? lui demanda Simon. À moins que ce ne soit moi qui t'ennuie ?

– Non, pas du tout ! Je suis simplement déçue du film. Les autres m'avaient parlé d'une belle histoire. Je m'attendais à autre chose, disons.

– C'est pour ça qu'il ne faut pas écouter les autres. On doit se faire sa propre opinion. Moi, j'aime bien ce film, il est rempli d'action. Si tu prends le temps de bien comprendre l'intrigue, tu vas l'apprécier.

– C'est simplement que je ne suis pas habituée à ce genre-là.

– Si tu veux revenir avec moi, il faudra t'y faire. C'est le type de films que je préfère.

– Tu veux vraiment me réinviter ?

– C'est sûr. J'ai pensé à notre baiser toute la semaine. J'étais impatient de te revoir. J'aimerais qu'on se voie plus souvent. Sauf que si c'est le cas, il y a une chose que je voudrais mettre au clair dès le départ. Je te l'ai déjà dit, je suis du genre fidèle. Je m'attends à la même fidélité de la part de ma blonde.

– C'est normal.

– Si on commence à se voir régulièrement, je voudrais que ce soit parce qu'on sort ensemble. Mais je veux m'assurer que ce soit du sérieux pour toi comme pour moi. Je n'aime pas les filles qui vont d'un gars à l'autre. Je préfère celles qui sont sérieuses et qui n'ont pas toujours besoin d'être le centre d'attention auprès des gars.

– Tu veux qu'on soit officiellement ensemble !?! s'étouffa Mathilde.

– Oui. Tu es unique et tu m'attires. J'ai envie de t'embrasser depuis le début du film, mais je te respecte trop pour le faire. Alors, qu'est-ce que tu en dis ?

– Je n'en reviens pas... Je suis trop chanceuse d'être tombée sur un gars comme toi.

– Non, c'est moi qui suis chanceux. Approche un peu que je t'embrasse, termina Simon.

La lumière projetée par l'écran éclaira brièvement le visage de Simon. Il posa sa bouche sur celle de sa nouvelle copine et, doucement, Mathilde se laissa emporter par la musique du film et l'étreinte de son chum. Elle savoura pleinement ce baiser qui officialisait sa première relation amoureuse.

8
Jalousie

Sylvie regardait sa fille grandir et remarquait des changements qui s'opéraient en elle. Elle savait qu'il était dans l'ordre des choses que Mathilde sorte avec des garçons, mais égoïstement, elle avait souhaité que cela se produise le plus tard possible. Son cœur de mère voyait d'un œil méfiant le bonheur que lui procurait Simon. Elle la trouvait encore jeune pour fréquenter quelqu'un et connaître l'amour.

Ce matin-là, en voyant briller les yeux de sa fille, elle sut qu'il y avait du nouveau.

– Alors, ma chouette, belle soirée au cinéma ?

– Oui, le film était très bien.

– Et Simon ?

Déstabilisée par la question de sa mère, Mathilde réfléchit à vive allure. Elle fit rapidement un tri de ce qu'elle pouvait dire et de ce qui pouvait attendre encore quelques jours, sinon quelques mois.

– Il est très bien. C'est un gars assez tranquille.

– Et…

– Et, quoi ?

– Allez-vous vous revoir ? Est-ce que c'est simplement un ami ?

– On s'aime bien et… on va certainement se revoir parce que maintenant, c'est plus qu'un ami… c'est mon copain, avoua Mathilde en hésitant, inquiète de la réaction de sa mère.

– Ton « chum », tu veux dire ?

– Euh… oui.

– Hier encore tu étais ma petite fille et aujourd'hui, tu sors avec un garçon. Comme la vie passe vite ! soupira Sylvie. Ne trouves-tu pas que c'est un peu tôt pour sortir sérieusement avec quelqu'un ?

– Maman, j'aurai seize ans dans quelques jours. Puis Simon me fait vraiment vibrer. Il est beau, gentil et, surtout, il me traite comme une femme. Il me respecte et il est sérieux avec moi. Il y a plein de filles qui voudraient être à ma place !

– Oui, mais les autres filles ne sont pas la mienne. Je t'aime et je ne voudrais pas qu'il t'arrive quoi que ce soit.

– Simon m'a dit qu'il ne me ferait jamais de peine. Il croit à l'amour, le vrai. Fais-moi confiance, je sais choisir mon chum, insista Mathilde.

– Je dois admettre que tu as l'habitude d'être sage dans tes décisions… Tu nous as donné plus de raisons de te faire confiance que de se méfier. Je crois simplement que ton père et moi allons devoir nous ajuster à cette nouvelle étape de ta vie !

– Penses-tu que papa sera fâché ?

– Certainement inquiet ou en désaccord, mais pas fâché. Laisse-moi lui annoncer la nouvelle, il te sera plus facile de discuter avec lui par la suite.

– Merci maman, je t'aime tellement !!

– Oui, je sais… Alors, comment est-ce qu'on se sent ma grande quand on est en amour ?

Sylvie écouta sa fille lui parler de Simon, qui semblait être le meilleur gars du monde. Elle savait qu'il ne servait à rien d'aller à l'encontre des sentiments de Mathilde. Aussi, elle porta une oreille attentive à ce que sa fille lui racontait pour vivre avec elle cette étape si importante de sa vie d'ado. Elle arrêta le temps un moment pour savourer l'image de sa fille qui respirait le bonheur de son premier amour.

Laurence n'avait pas bien dormi. Elle avait repassé en boucle dans sa tête ce qui s'était passé la veille avec ses amies. Elle savait qu'elle leur devait des excuses. Elle avait eu un comportement égoïste et se sentait coupable. En arrivant à l'école, elle chercha ses deux amies. Celles-ci s'étaient bizarrement volatilisées. La journée du vendredi fut donc aussi longue que sa nuit et un sentiment de solitude la gagna.

Quand sonna la dernière cloche, elle les trouva près des casiers et se dépêcha d'aller à leur rencontre.

– Je ne sais pas ce qui m'a pris, les filles. Je sais que j'ai été odieuse et je m'excuse. Je suis prête à faire n'importe quoi pour que vous me pardonniez !

Mathilde et Joanie, qui avaient décidé qu'une journée de silence suffisait comme châtiment, eurent un regard complice.

– N'importe quoi ? Même venir à l'école sans maquillage ?

– Quoi ? Vous êtes sérieuses ? Bon, d'accord. Si ça peut vous montrer ma bonne volonté… Mais je vais devoir changer d'école après ça !!!

Toutes les trois éclatèrent de rire en se faisant l'accolade.

– Merci, les filles, vous êtes les meilleures amies du monde !

– On le sait. Mais ne nous fais plus jamais un coup comme ça, la gronda Mathilde.

– Alors maintenant que c'est réglé, qu'est-ce qu'on fait ce soir ? demanda Joanie.

– Ma mère est absente. Est-ce que vous voulez venir chez moi ? On pourrait se commander une pizza et regarder un film, proposa Laurence.

– Simon doit venir chez moi…

– Venez avec vos chums, ça ne me dérange pas. Et puis, ça me donnera une occasion de plus de voir Antoine.

– Si mes parents savent que ta mère sera absente, ils vont refuser. Ils ne veulent pas que je sois seule avec Simon, sauf dans des lieux publics.

– Tu n'as qu'à ne pas leur dire, lui conseilla Laurence. Tu as le droit à ton jardin secret. Dis-leur que tu passes la soirée chez moi avec Jo et laisse faire le reste. De toute façon, on ne fera rien de mal.

– Tu as raison. En plus, j'ai très envie de revoir Simon. Il est si romantique ! Il n'arrête pas de me coller et j'aime être dans ses bras. Je me sens comme une princesse…

– On a compris, pas besoin de trop de détails, la coupa Laurence en souriant. Et toi, Jo ?

– Mes parents seront d'accord et… moi aussi j'ai hâte de revoir mon chum.

– Alors à ce soir !

Quand on sonna à la porte chez Laurence, la fébrilité des trois filles était palpable. Laurence fut surprise de voir que les gars avaient apporté de la bière. Pour eux, c'était tout à fait normal, mais pour les filles, qui n'étaient pas encore majeures, c'était un interdit. « Un truc de plus sur la conscience ! » pensa Mathilde, qui commençait à trouver que côtoyer des gars plus âgés lui faisait transgresser bien des règles.

Laurence les invita à entrer et leur fit déposer la bière dans la cuisine. Mathilde et Joanie arrivèrent aussitôt pour accueillir chaleureusement leur copain. Une fois les premiers baisers échangés, les gars proposèrent de regarder un match de hockey à la télévision. Toutes trois acquiescèrent avec enthousiasme, même si, en réalité, elles n'y connaissaient rien à rien. L'important, c'était d'être en compagnie des gars. Pendant que Simon et Antoine étaient au salon concentrés sur le match, William offrit une bière aux filles dans la cuisine. Joanie et Laurence acceptèrent tandis que Mathilde hésita. Elle savait que Simon n'aimait pas les filles qui boivent de l'alcool. Il lui avait déjà mentionné qu'il trouvait que Laurence avait l'air d'une écervelée quand elle prenait un verre. Une fille sage et responsable ne boit pas, sinon pas beaucoup. Mathilde ne voulait pas le décevoir, mais elle avait aussi envie de s'amuser un peu.

William, qui n'avait pas obtenu de réponse de Mathilde, prit l'initiative de lui déboucher une bière. Ne voulant pas lui déplaire ou paraître arriérée, la jeune fille accepta d'en prendre une.

De retour au salon, sa bière à la main, elle vit le regard mécontent de Simon et sentit un vent de reproches la refroidir. Un sentiment de culpabilité lui chavira le cœur et elle se reprocha aussitôt d'avoir accepté. Elle se dit qu'elle expliquerait plus tard à Simon que c'était par politesse, pas vraiment parce qu'elle en avait l'habitude. Il comprendrait sûrement… À moins qu'il ne veuille plus d'elle ? Ce serait tellement bête de tout gâcher à cause d'une seule bière, après tout !

Voulant apaiser son malaise, elle alla trouver Simon et l'entoura de ses bras. Il détourna la tête et la repoussa en lui demandant : « Alors, tu as terminé ta bière ? Si tu en veux une autre, va voir William. » Et il continua sa discussion en l'ignorant totalement. Mathilde, blessée par cette attitude surprenante et très froide, retourna auprès de ses amies. « Merde ! Qu'est-ce que j'ai fait ? pensa-t-elle. J'aurais dû dire non. Simon avait pris la peine de me mentionner qu'il n'aimait pas ça et je l'ai fait en toute connaissance de cause. »

Elle voulut aller s'excuser auprès de Simon, mais William l'accosta.

– Mathilde, une autre bière ? lui offrit-il.

– Non, pas maintenant. Je vais d'abord aller au petit coin.

Elle voulait prouver à Simon qu'une fois n'était pas coutume.

– Pas de problème. Si tu changes d'idée, elles sont dans le réfrigérateur.

Dans le corridor menant à la salle de bains, Simon l'intercepta en la saisissant par le bras :

– Alors, tu as beaucoup de plaisir avec ton beau William ?

– Qu'est-ce que tu dis là ? s'étonna Mathilde.

– Tu déranges tout le monde avec tes fous rires, on voit bien que tu as bu.

– On est à une soirée entre amis, c'est normal que je m'amuse. Et je n'ai bu qu'une bière !

– Eh bien moi, je n'aime pas que ma blonde ait l'air d'une écervelée et qu'elle fasse les yeux doux à mon meilleur ami. C'est avec moi que tu dois avoir du plaisir. Tu sais que c'est important pour moi. À moins que tu n'aies déjà oublié ?

– Je ne fais les yeux doux à personne, Simon. Je ne sais pas pourquoi tu dis ça. Et s'il te plaît, lâche mon bras. Tu me fais mal.

– Et toi, tu penses que ça ne me fait pas mal de te voir te soûler et donner toute ton attention à un autre que moi ? On ne dirait même pas que j'ai une copine ! À te voir, c'est avec William que tu sors…

– Désolée, je ne voulais pas te blesser. J'ai pensé te laisser tranquille avec Antoine pour regarder le match. Je ne voulais pas être encombrante. Excuse-moi. Si j'avais su…

– Tu le savais, Mathilde. Je te l'ai dit l'autre soir au ciné : j'aime que ma blonde reste à mes côtés. Je suis un grand romantique et j'ai envie que tu sois près de moi. Je suis fou de toi, ce n'est pas ma faute !

Sur ce, Simon se mit à embrasser Mathilde dans le cou et à laisser ses mains gambader. Sans comprendre ce soudain changement d'attitude, sa copine laissa aller les choses. Elle n'osa pas poser de questions pour ne pas le blesser encore plus. Après tout, il était si sensible !

– Est-ce que William te plaît, ma belle ?

– Non, je te l'ai déjà dit.

– Tu as pourtant accepté la bière qu'il t'a offerte en sachant que je n'aime pas les filles qui boivent. En plus, tu as des fous rires avec lui et tu n'en as pas avec moi.

– J'ai accepté sa bière par politesse. Et si je ris, c'est parce que ce qu'il raconte est drôle. Mais c'est toi qui me plais. Seulement toi.

– Tu es tellement belle quand tu ris. Je ne veux pas que les autres le remarquent. Ils pourraient te voler à moi. Il est à moi ce beau sourire.

– Personne ne me volera, voyons ! Et je te promets de garder mes plus beaux sourires pour toi, d'accord ?

Comme pour lui prouver sa fidélité, Mathilde embrassa Simon et laissa ses mains se poser sur ses fesses. C'était la première fois que cela se produisait et elle sentait son cœur battre la chamade. Excitée, mais aussi un peu mal à l'aise, elle attendit quelques minutes et ensuite, remonta les mains de Simon vers sa taille. Ils n'étaient pas seuls après tout.

– Tu es tellement attirante, c'est difficile de me retenir sans arrêt. Laisse-moi te caresser encore un peu.

– C'est la première fois que… Je n'ai jamais… Tu vois ce que je veux dire ?

– Oui et je suis bien content. J'adore être le premier, c'est meilleur. Si tu avais déjà fait l'amour avec plein de gars, tu ne m'aurais pas intéressé. Je veux être spécial pour toi comme tu l'es pour moi. Je te veux tout entière, tu es trop désirable… Toi, est-ce que tu as envie de moi ?

– Oui…

– Alors laisse-moi faire.

Que c'était doux aux oreilles de Mathilde d'entendre les mots « désirable » et « attirante » ! Elle, qui manquait souvent de confiance, se faisait complimenter. Hummm !!! Elle se surprit à embrasser Simon encore plus fort et à désirer la caresse de ses mains à nouveau. Avant de poursuivre, il lui demanda :

– Promets-moi, mon amour, que tu garderas tes rires pour moi. Je t'aime trop pour te partager.

– C'est promis, Simon, promis, s'entendit répondre Mathilde, étourdie par toutes les paroles et les baisers de son chum.

Le couloir n'était pas le seul à être témoin de l'effervescence de la soirée puisque dans la cuisine, Antoine et Laurence s'embrassaient follement. Pendant ce temps, dans le salon, William et Joanie en faisaient tout autant.

– Tu embrasses si bien, Joanie.

– C'est parce que tu m'inspires, murmura-t-elle sur un ton espiègle.

– Moi, tu ne fais pas que m'inspirer… chuchota William.

Joanie se raidit et sa respiration devint saccadée. Incapable de feindre qu'elle était à l'aise, elle recula en disant :

– Je suis désolée, William, mais je ne suis pas prête à faire l'amour.

Ce dernier, surpris par la réaction de sa copine, reprit son étreinte plus doucement en la rassurant :

– Je ne te forcerai jamais à faire quoi que ce soit. Je voulais simplement te dire à quel point tu me plais. Et si on fait l'amour, ce ne sera pas sur un divan à la sauvette. Tu décideras quand tu seras prête.

Joanie sentit ses yeux s'emplir de larmes. Elle avait eu peur, pendant un moment, que son chum la repousse. Au contraire, il était prêt à l'attendre ! Soulagée par ce respect, elle le regarda amoureusement et se laissa porter par la vague de tendresse qui déferla entre eux.

9
Un chum trop présent

– Cesse de t'inquiéter, Mathilde. Mes parents vont t'adorer.

– Et si ce n'était pas le cas ?

– C'est impossible. Tu es trop extraordinaire.

Depuis que Mathilde avait accepté de rencontrer les parents de Simon, elle ne faisait que s'inquiéter. Qu'est-ce qu'elle allait leur dire ? Qu'est-ce qu'ils penseraient d'elle ? Même si Simon tentait de la rassurer, rien n'y faisait. Il lui avait même donné quelques conseils : ne pas trop parler, son père aimait le silence, ne pas trop poser de questions, sa mère était discrète, et ne pas trop bouger, car ses parents étaient plutôt du genre relax.

– Ils ont aménagé le sous-sol pour que j'y vive et qu'ils aient leur intimité, dans le calme. Ils sont comme moi : les énervés, ils n'aiment pas trop.

Les amoureux arrivèrent chez Simon qui, aussitôt descendu de la voiture, en fit le tour pour rejoindre Mathilde et l'embrasser. Il la serra très fort et lui rappela à quel point il était fou d'elle. Peu importe ce que ses parents penseraient d'elle, l'essentiel c'était que *lui* soit fou d'elle.

À l'intérieur, la mère de Simon vint les accueillir. Elle fut très chaleureuse et s'empressa d'amener Mathilde au salon pour discuter entre femmes. Elle lui confia qu'elle était contente de la connaître et que Simon ne disait que de belles choses à son propos. Elle l'invita même à rester pour le repas. Le père de Simon arriva un peu plus tard et lui posa quelques questions sur ses études et ses projets d'avenir. Le souper se déroula à merveille. Mathilde oublia même tous les conseils de son chum et se laissa aller à parler et à rire. Quand vint le temps de partir, les parents de Simon lui rappelèrent qu'elle était la bienvenue à n'importe quel moment.

Sur le chemin du retour, Mathilde partagea son plaisir.

– C'était super ! Tes parents sont formidables !

– C'est tout le temps formidable quand tu es avec moi.

– Je pense qu'ils m'ont bien aimée… Ils m'ont parlé durant tout le souper.

– Tu as raison. Je ne les ai jamais vus agir comme ça avec aucune de mes copines précédentes. Ils t'adorent déjà. Approche que je t'embrasse.

– Simon, tu conduis. Sois prudent.

– Je perds l'esprit quand tu es là. Donne-moi un petit baiser…

– Je t'en donnerai deux si on arrive sains et saufs, dit Mathilde sur un ton mi-sérieux.

– Deux ? Hummm… Je ferais n'importe quoi pour un, alors imagine pour deux !

Les deux amoureux éclatèrent de rire. Lorsqu'ils arrivèrent chez Mathilde, cette dernière dut tenir parole. Après un échange de baisers langoureux, l'adolescente rentra à la maison. Sa mère l'attendait impatiemment pour savoir comment s'était déroulée sa rencontre avec les beaux-parents.

– Comme sur des roulettes ! Ses parents se sont montrés très intéressés à me connaître et son père m'a fait rire avec ses anecdotes de camping. Simon a été attentionné comme jamais ; il était constamment en train de s'assurer que tout se passait bien pour moi. Vraiment, maman, je suis très contente.

– Moi aussi. Tu as l'air heureuse et c'est ce qui compte.

– Oui, mais là, je m'endors un peu. Bonne nuit. À demain.

– Bonne nuit, ma grande.

Après la présentation officielle, Mathilde ne revit pas beaucoup les parents de Simon. Quand elle allait chez lui, elle passait par la porte arrière et descendait directement au sous-sol. Elle alla tout de même les saluer à quelques reprises et chaque fois, c'était agréable. Malheureusement, pour Simon, tout ne se passait pas aussi bien avec les parents de Mathilde. Malgré les efforts des jeunes amoureux, Paul restait sur sa position : sa fille était trop jeune pour fréquenter un garçon. Toutefois, il demeurait respectueux envers Simon et lui faisait la conversation. Les efforts de son père réjouissaient Mathilde, mais n'avaient aucun effet sur Simon. Ce dernier reprochait à sa copine l'attitude de son père, qu'il disait possessif.

– Tu es une petite fille à papa et c'est pour ça qu'il ne m'aime pas. Pour lui, je suis qu'un simple vendeur de chaussures qui étudie en génie mécanique. Rien d'assez bien pour sa fille adorée.

– Tu exagères. Ce n'est pas son genre de juger les gens selon leurs études ou leur emploi. Il est seulement protecteur.

– C'est normal que tu le défendes, c'est ton père. Sauf que moi, je vois la réalité. Je le respecte, mais lui me déteste. Crois-tu que je sois menteur ?

– Non, mais…

– Désolé, Mathilde, mais tant que ton père aura cette attitude, je n'irai plus chez toi. À moins que tu lui dises d'arrêter de me juger et de me parler comme si j'étais un moins que rien.

– Je ne peux pas dire ça à mon père !

– D'accord, petite fille à papa. Quand tu voudras me voir, tu sauras où me trouver.

– Je ne peux pas choisir entre toi et mon père, Simon.

– Ce n'est pas moi qui t'oblige à choisir, c'est lui. Je ne fais que demander à être aussi bien traité que tu peux l'être quand tu viens chez moi. Et toi, tu ne veux même pas faire l'effort de parler à ton père ? Je pensais que j'étais plus important que ça pour toi !

– Ce n'est pas aussi facile que tu le penses. Donne-moi du temps. Je vais essayer de lui parler, c'est promis. Je ne veux pas qu'on s'éloigne l'un de l'autre. Je t'aime, Simon, et je ne veux pas te perdre.

– J'espère que tu m'aimes. Moi, je suis tellement amoureux que je ferais n'importe quoi pour toi. Si tu parles à ton père, ce sera une preuve de ton amour.

– Tu as raison. En amour, on doit avoir à cœur les besoins de l'autre. Je vais lui en parler, c'est promis. Excuse-moi de ne pas l'avoir fait avant.

– Ce n'est pas grave, ma belle. Je sais que tu n'as pas une grande force de caractère. Ton père en profite et t'empêche de vivre en sachant que tu ne t'affirmeras pas. C'est pour ça que tu dois parfois écouter mes conseils. Moi, je sais m'affirmer.

Simon l'embrassa tendrement. Seul, dans le sous-sol, le couple pouvait se coller autant qu'il le désirait. L'adolescente s'était bien gardée de dire à son père que les parents de son chum ne jouaient jamais les chaperons. Parfois, Simon tentait d'aller plus loin, mais Mathilde l'arrêtait. Elle se laissait caresser et embrasser, mais pas plus pour le moment.

– C'est bien qu'on prenne notre temps, mon amour, lui répétait Simon chaque fois. Je vais attendre, ce sera meilleur.

– Tu es certain ?

– Oui. Je te l'ai déjà dit. Si j'avais voulu une fille facile, j'aurais approché Laurence.

– Pourquoi dis-tu ça ? Tu ne la connais même pas.

– C'est ce que sa façon de s'habiller laisse sous-entendre. Elle aime montrer son décolleté, elle porte un jeans moulant et elle se maquille beaucoup. Une fille comme elle, c'est bon pour une soirée, pas pour la vie.

– Je n'aime pas que tu la juges ainsi. C'est une fille vraiment bien, peu importe comment elle s'habille.

– Peut-être, mais elle n'a pas les mêmes valeurs que moi. L'image que l'on projette est très importante. Laurence donne l'impression de ne pas se respecter. Je n'aimerais pas que ma blonde projette ce genre d'image.

– Tu parles de mon amie ! Et puis tu n'as pas à décider comment je dois m'habiller !

– Ne te fâche pas. Tu peux porter ce que tu veux, mais tu sais ce que j'en pense.

– Et tu vas m'aimer quand même ? demanda Mathilde, la voix remplie d'incertitude.

– Bien sûr ! Je t'aime parce que tu es une fille sage, responsable et surtout fidèle. Pour ton choix de vêtements, je te fais confiance. Je sais que tu vas faire attention.

Il l'embrassa à nouveau, avec plus de ferveur. Leurs mains se joignirent et leurs corps se rapprochèrent.

– C'est si difficile de te résister. Tu penses être prête bientôt ? demanda-t-il.

– Oui, mon amour…

Mathilde s'attachait de plus en plus à Simon. Il était affectueux, sensible et il voulait être avec elle chaque minute de la journée. Lorsqu'elle se blottissait dans ses bras, elle se sentait en sécurité. Ce n'était qu'une question de temps avant qu'elle soit prête à faire l'amour avec lui.

Le lendemain, Mathilde tenta de parler à son père. Il ne changea pas de discours. Elle le dit à Simon et ils décidèrent qu'ils se verraient désormais uniquement chez lui. Après tout, si son père voulait la voir plus souvent, il n'avait qu'à accepter son chum !

C'est ainsi que s'établit une nouvelle routine dans la vie de Mathilde. Elle allait à l'école les jours de semaine et, à partir du jeudi soir, elle faisait ses devoirs chez Simon. La fin de semaine, elle passait le samedi avec lui lorsqu'il était en congé. Le dimanche, par contre, elle devait rester à la maison, exigence de son père. Le seul problème, c'est qu'elle voyait ses amies de moins en moins. Joanie et Laurence lui manquaient, mais Simon voulait qu'elle passe tout son temps libre avec lui. Ses heures de révision d'anglais devinrent donc son seul moment privilégié avec les filles.

En ce début de décembre, Mathilde voyait les examens de la mi-année approcher à grands pas et l'urgence de réviser la forçait à consacrer son samedi à étudier avec les filles.

– On va commencer par les verbes irréguliers, d'accord Mathy ? dit Joanie.

– Il faut vraiment que tu aies la moyenne, l'encouragea Laurence. Ce sera LE voyage du secondaire à ne pas manquer.

– Avec vous deux pour réviser, c'est certain que je vais y arriver.

– Sauf qu'il faudrait peut-être se rencontrer plus qu'une fois toutes les deux semaines… émit Laurence.

– Je sais… Je manque de temps, c'est tout.

– On est contentes que tu sortes avec Simon, Mathy, mais tu dois garder du temps pour tes études… et pour nous ! la gronda doucement Joanie.

– Oups ! Mon cell vibre. Ça doit être Simon. Donnez-moi deux minutes, s'excusa Mathilde en s'éloignant.

– Encore lui ! Ça fait quatre fois en une heure qu'il appelle, grogna Laurence.

– Calme-toi, Lau. Tu vas faire de la peine à Mathilde si elle te voit fâchée comme ça.

– C'est de lui que tu devrais t'inquiéter, pas de moi ! Il appelle sans arrêt et ne la laisse pas respirer.

– Ils s'aiment, c'est tout. Laisse-les faire. L'important, c'est qu'elle soit avec nous aujourd'hui et qu'on révise. Change d'air avant qu'elle n'arrive, s'il te plaît.

– Je te jure que je lui dirai ma façon de penser un jour, à ce Simon.

– Pour ça, il faudrait qu'on le voie de temps en temps. Depuis qu'ils sortent ensemble, ils font toujours tout à deux. Ça fait une éternité qu'on n'est pas sortis en gang.

Mathilde revint, l'air un peu perdu. Elle savait que ses amies étaient irritées et ne savait plus quoi leur dire pour excuser les appels de Simon. Elle lui avait pourtant expliqué qu'elle étudiait et qu'il ne devait pas la déranger, mais il appelait quand même, comme il venait encore de le faire.

– Salut ma belle, est-ce que tu as terminé ?

– Non,on vient tout juste de commencer. Je t'ai dit que j'allais t'appeler à la fin de la journée.

– C'est long ! Toute une journée sans te voir… Est-ce que tu viens chez moi ce soir ?

– Je ne pense pas. Après l'étude, on a prévu manger ensemble au resto.

– Qui ça, « on » ?

– Joanie, Laurence et moi.

– Est-ce que William y sera ?

– Non. Seulement nous trois. On va parler du voyage et…

– Ton voyage, ton voyage… PFFF ! Tu n'as que ce projet en tête. Tu en parles constamment. On dirait que tes amies sont plus importantes que moi. Je suis même certain que tu ne penses pas à moi lorsque tu es avec elles.

– C'est faux ! Je pense tout le temps à toi, mais je dois aussi étudier, Simon. C'est important pour moi.

– Ça va. J'ai compris. Tu préfères ton école, tes études et tes amies. Reste donc avec elles, dans ce cas. Je vais me trouver autre chose à faire.

Et il avait raccroché sans crier gare. Cela faisait quelques fois qu'il adoptait ce comportement et qu'il raccrochait au nez de Mathilde. Cette dernière avait beau essayer des réponses différentes, ce n'était jamais ce qu'il voulait entendre. Il lui avait même dit un jour qu'elle avait le don de l'exaspérer comme personne puisque, avec ses anciennes blondes, il ne réagissait pas ainsi. L'adolescente avait cherché en vain ce qu'elle avait pu dire pour ainsi l'offusquer, mais elle cherchait toujours la réponse…

– Ça va, Mathy ? demanda Joanie.

– Oui. Désolée, j'étais dans la lune.

– Tu fais un drôle d'air.

– C'était Simon. Il aurait aimé me voir ce soir.

– Mais on va au resto ! répliqua Laurence.

– C'est ce que je lui ai dit. Il était… disons… déçu.

– Fiou ! J'ai cru que tu voulais annuler. On ne se voit déjà presque plus, se plaignit Joanie.

– Non, non. Je vais souper avec vous et s'il n'est pas content, tant pis pour lui, s'efforça de dire Mathilde.

– Super ! Enfin, tu retrouves tes esprits. Il était temps ! soupira Laurence.

Simon ne rappela pas par la suite. Lorsque Mathilde tenta de le joindre avant d'aller souper, il ne répondit pas. Elle lui laissa un message lui disant qu'elle tenterait de le voir le lendemain, même si c'était dimanche. L'étude terminée, les filles partirent au restaurant. Préoccupée par le silence de son chum, Mathilde oublia son cellulaire chez Laurence. Quand elle réalisa son oubli, elles étaient déjà rendues au restaurant Chez Rose.

Le souper sembla durer une éternité pour Mathilde, qui s'impatientait de retrouver son cellulaire. Elle savait que si elle ne répondait pas, Simon se mettrait en colère. Déjà qu'ils s'étaient disputés tout à l'heure… Laurence et Joanie mirent la distraction de Mathilde sur le compte de la révision ardue de l'après-midi. Elles n'insistèrent pas et quittèrent le restaurant immédiatement après le repas.

De retour chez Laurence, Mathilde s'empara aussitôt de son cellulaire. Dix appels manqués et autant de textos reçus !! Quelle idiote elle était d'avoir oublié son téléphone !

« Pff ! Décidément, ce n'est pas ma journée… soupira Mathilde intérieurement. Et qui sait quelles conclusions Simon aura tirées de mon silence involontaire. »

10
Tempête dans un verre d'eau

Le mois de décembre avait marqué l'ouverture de l'aréna du quartier et l'endroit était vite devenu le lieu de rencontre de plusieurs jeunes. Joanie planifiait un après-midi de patinage avec William lorsqu'elle proposa d'appeler Mathilde et Simon pour qu'ils se joignent à eux.

– Je ne sais pas si c'est une bonne idée, répondit William.

– Pourquoi ? Simon n'aime pas patiner ? Je sais que ça va plaire à Mathilde, en tout cas.

– Non, c'est que je doute que ce soit le bon moment, c'est tout.

– Qu'est-ce que tu sais que je ne sais pas ?

– Bien… Simon m'a appelé, hier soir, et il m'a dit que Mathilde…

– Quoi ?

– Que Mathilde était avec un autre gars hier soir…

– Mais Mathilde était avec nous toute la soirée !

– Joanie, je sais que tu veux couvrir ton amie, mais elle doit assumer ses choix et les gestes qu'elle fait.

– Je suis sérieuse, Will, je ne te mentirais pas. Elle était avec Laurence et moi. On étudiait pour notre cours d'anglais.

– Pourquoi Simon m'aurait raconté ça ?

– Je ne sais pas, mais c'est faux. Est-ce que Mathilde est au courant de toute cette histoire ?

– Quand il m'a appelé, il ne lui avait pas encore parlé.

– Donne-moi deux minutes, je l'appelle pour la prévenir. C'est terrible de répandre des mensonges comme ça !

« Quoi ? » s'insurgea Mathilde. Elle n'en revenait pas. Simon l'accusait d'avoir été avec un autre gars la veille. Voilà pourquoi il ne la rappelait pas ! Hier soir, après être rentrée chez elle, elle avait lu tous les textos de Simon : « Tu es où ? », « Qu'est-ce que tu fiches ? », « Rappelle-moi ! », « Si tu es avec un autre, ne me rappelle pas », « Ma belle, je t'aime, rappelle-moi », etc. Elle s'était alors empressée d'obéir à sa requête, mais n'avait obtenu aucune réponse. Et depuis, silence radio. Aujourd'hui, après les révélations de Joanie, elle comprenait son silence. Il la boudait. Encore. Il avait commencé ce petit manège depuis quelques semaines. Il ne répondait que quand il le voulait bien et rappelait Mathilde quand il jugeait que c'était le bon moment pour *lui*.

– On dirait que tu ne sais pas différencier ce qui est important de ce qui ne l'est pas, lui avait-il lancé après une de ces périodes de bouderie. Ce n'est pas parce que tu n'es pas intelligente. Tu manques seulement de jugement parfois. C'est normal, tu es encore jeune. Mais je t'aime comme ça.

– Ce n'est pas vrai ! J'ai un bon jugement… enfin je crois.

– Tu es tellement susceptible. Tu ne prends jamais les commentaires des autres positivement. Si tu ne veux pas t'améliorer, c'est ton problème. Je fais ça pour t'aider, moi.

Mathilde détestait ces moments où le gentil Simon s'effaçait et devenait cinglant. Elle se raccrochait alors à ses bons souvenirs avec lui, comme quand il l'avait emmenée à une partie de volleyball entre amis. Il l'avait traitée comme une princesse et elle s'était sentie si importante ! Il était attentionné et son regard tendre avait réchauffé le cœur de la jeune fille. Il l'avait même présentée à ses amis en leur disant à quel point il était chanceux de l'avoir rencontrée. Wow !

Malheureusement, le moment présent rattrapa Mathilde et l'angoisse de recevoir l'appel de Simon s'empara d'elle à nouveau. Lorsque son nom s'afficha sur son cellulaire, elle ne savait plus quelle attitude adopter. Le confronter ne donnerait rien. Le contredire non plus. De toute façon, elle était coupable jusqu'à preuve du contraire. Que pouvait-elle faire ? Peut-être qu'en lui expliquant, il comprendrait ? La voix de Simon était acerbe :

– Alors, madame est rentrée ?

– Je suis rentrée hier soir et je t'appelle depuis ce temps.

– Je sais. J'étais occupé. Qu'est-ce que tu veux ?

– Qu'on se parle, Simon. Pourquoi racontes-tu à tout le monde que j'étais avec un autre gars hier soir ?

– Parce que c'est la vérité. Tu devais me rappeler pour venir souper chez moi et tu ne l'as pas fait.

– Je n'ai jamais dit que j'irais chez toi ! Tu savais que j'étais avec les filles et qu'on avait prévu manger au resto.

– D'habitude, quand tu es avec les filles, tu réponds à ton cellulaire. Mais hier, tu ne l'as pas fait. Tu n'étais donc pas avec elles.

– J'avais oublié mon cell chez Laurence, Simon. Je te le jure.

– Belle excuse. Tu n'oublies jamais ton cell. C'est donc évident que tu faisais quelque chose en cachette.

– Je l'ai oublié parce qu'on est parties rapidement.

– Pourquoi « rapidement » ? Tu avais un rendez-vous ?

– Arrête ! Tu déformes tout ce que je dis.

– C'est toi qui déformes la vérité. Dis-moi où tu étais hier soir et on clôt la discussion.

– Je ne sais plus comment te le dire… J'étais avec les filles ! Tu n'as qu'à les appeler pour vérifier.

– Trop facile. Elles vont confirmer ton alibi, c'est sûr, elles ne m'aiment pas.

– Mes amies ne t'aiment pas ? Qu'est-ce qui te permet d'affirmer ça ?

– Est-ce que William était avec vous ?

– Non, pas du tout. Sinon, je ne serais pas restée. Je sais que tu n'aimes pas que je sois en sa présence et je ne veux pas t'inquiéter pour rien. Je t'en prie, crois-moi, aucun autre gars ne m'intéresse. C'est toi que j'aime !

– Je vais te donner le bénéfice du doute. Mais si jamais j'apprends qu'il s'est passé quelque chose hier soir, c'est terminé entre nous !

– Aucun danger puisque je te répète que je n'ai rien fait de mal !

– Je t'aime, Mathy, et je ne veux pas te perdre. C'est pour ça que je m'inquiète. Depuis que mon ex m'a trompé, je suis plus méfiant. Je m'excuse.

– Fais-moi confiance, Simon. Je t'aime et tu es l'homme de ma vie. Le seul.

– Je m'ennuie de toi, ma belle. Est-ce qu'on peut se voir aujourd'hui ? J'ai une surprise...

– Une surprise ?

– Oui, pour me faire pardonner d'avoir fait l'idiot.

– Je pourrais demander à ma mère. Mon père n'est pas là. Je vais lui dire que je vais étudier. En plus, ils ont un souper chez des amis, alors ils arriveront tard.

– Parfait. Tu m'enverras un texto avec ta réponse. Je t'aime, Mathilde.

– Moi aussi.

La mère de Mathilde hésita. Elle doutait que sa fille étudie encore, puisqu'elle l'avait fait la veille. Mais rien ne lui prouvait le contraire. Seulement une intuition. Son adolescente était devenue distante au cours des dernières semaines et cela préoccupait beaucoup Sylvie. La relation de Paul avec Simon n'aidait pas, mais il y avait autre chose. Mathilde était souvent sur ses gardes et elle sursautait quand le téléphone sonnait. Lorsqu'elle leur demandait une faveur, l'explication était souvent floue. Mais Sylvie n'avait rien d'autre à lui reprocher. Ses notes étaient bonnes, elle respectait les règles de la maison et aidait aux tâches ménagères. Peut-être que la crainte de rater le voyage, faute d'avoir suffisamment étudié, la rendait nerveuse ? Sylvie accepta donc qu'elle retourne étudier, à condition qu'elle revienne plus tôt que la veille.

Simon avait emprunté la voiture de son père pour aller rejoindre Mathilde au restaurant Chez Rose. Il était souriant et sentait bon. Quand Mathilde l'aperçut, elle le trouva très beau, même irrésistible. Elle voulait lui reparler de leur dispute, lui demander à nouveau de lui faire confiance, mais elle n'en eut pas le temps. Aussitôt arrivé près d'elle, il l'enlaça et lui dit :

– Je suis vraiment un imbécile. Je ne sais pas ce qui m'a pris. C'était plus fort que moi. Rien qu'à penser que tu pouvais être avec un autre, j'ai cru devenir fou.

Ne pouvant résister à son air affligé, Mathilde lui répondit :

– Arrête de t'excuser, c'est du passé.

– Je ne recommencerai plus, ma belle, c'est promis. Es-tu prête pour ta surprise ?

Simon sortit une petite boîte carrée de sa poche et la remit à Mathilde en lui disant : « Pour la seule fille que j'aime. »

L'adolescente souleva le couvercle et vit une chaîne en or avec un pendentif : deux cœurs entrelacés.

– Wow ! Simon ! C'est tellement beau ! Je ne mérite pas ça.

– Tu mérites tout ce qu'il y a de plus cher. Tu es merveilleuse et si patiente avec moi. Tu supportes même mon sale caractère. Ce pendentif est le symbole de notre amour. Nous serons toujours ensemble. Viens, je vais l'attacher à ton cou.

– Merci, mon amour. Tu es trop généreux avec moi. Je m'excuse encore pour hier, je n'aurais pas dû oublier mon cellulaire.

– Disons qu'on a des torts tous les deux. L'important, c'est qu'on se soit réconciliés. Je tiens tellement à toi.

– Moi aussi Simon.

– Es-tu prête pour la suite ?

– La suite… ?

– Je t'invite au cinéma en souvenir du plus beau jour de ma vie ; celui où je t'ai retrouvée après t'avoir perdue à la plage du camping.

– Et moi qui croyais que tu ne m'avais pas remarquée…

– Tu étais la plus rayonnante du camping. Quand je t'ai revue, dans la file d'attente au cinéma, je me suis dit que je ne devais pas manquer ma chance une deuxième fois. Et voilà, aujourd'hui tu es dans mes bras et mon cœur t'appartient.

– Simon, tu es si romantique…

Mathilde l'embrassa et posa doucement sa main sur sa nuque. Il déposa ensuite sa tête sur son épaule et lui souffla dans le cou. C'était un moment calme et doux durant lequel elle sentit qu'il l'aimait sincèrement. Ils s'abandonnèrent au soulagement de leur réconciliation et se dirent qu'après tout, les malentendus faisaient partie de la vie normale d'un couple.

Leur sortie au cinéma fut une des plus belles. Simon laissa Mathilde choisir le film, même si c'était un film de fille. Ce soir-là, elle seule était à l'honneur. Ils prirent des sièges au fond de la salle et s'enlacèrent tendrement avant la représentation. Pendant le film, Simon embrassa furtivement Mathilde de temps en temps. Hummm ! Mathilde savourait chaque seconde de cet instant magique. Les deux heures que dura le film passèrent tandis que leurs sentiments amoureux s'intensifiaient. Les yeux dans les yeux, la main dans la main, ils retournèrent à la voiture en soupirant de devoir se séparer à nouveau.

– Je m'ennuie déjà et tu n'es même pas sortie de la voiture, se plaignit Simon.

– Rassure-toi, mon amour. On se voit bientôt.

– C'est long quelques jours sans te voir.

– N'oublie pas que maintenant, c'est différent. Tu es avec moi tous les jours, près de mon cœur.

– J'oubliais le pendentif ! Tu as raison. Embrasse-moi encore.

– Une dernière fois et ensuite j'y vais ! Je dois rentrer avant que mes parents reviennent de leur souper.

Le baiser dura si longtemps que les vitres de la voiture s'embuèrent. Simon y dessina un cœur du bout des doigts. Mathilde sortit le cœur léger et les lèvres enflammées. Cet après-midi avait été parfait et Simon, adorable. C'est dans ces moments-là qu'elle réalisait à quel point elle l'aimait. Pour le reste, il changerait, il le lui avait promis.

La journée avait défilé comme un film que l'on regarde en accéléré. Rarement ensemble, Joanie et Mathilde avaient planifié un après-midi chez cette dernière pendant que leurs copains allaient faire quelques parties de billard. Laurence était chez son père et elle ne revenait que le lendemain. Les adolescentes avaient loué de vieux films qu'elles adoraient regarder, s'étaient empiffrées de croustilles, avaient ri et pleuré. Bref, un après-midi de rêve entre copines !

– C'est toujours la même chose, s'exaspéra Joanie. On pleure chaque fois qu'il la quitte, même si on sait qu'il va revenir.

– S'il l'aimait vraiment, il ne la quitterait pas. Même pour deux semaines. Simon m'a déjà dit qu'il ne me quitterait jamais parce que j'étais toute sa vie.

– Ouh là ! Si William me disait ça, je me sentirais étouffée ! Tu es certaine que c'est de l'amour ?

– Oui, il tient tellement à moi qu'il est prêt à tout pour me garder. C'est une preuve d'amour, non ?

– J'en doute. Je dirais plus que c'est de la possession et non de l'amour.

– Pas pour Simon et moi. Notre amour est tellement vrai que je pense être prête à faire l'amour avec lui.

– Tu es sérieuse ?!

– Oui. Simon attend depuis longtemps. Il m'a dit que se donner à l'autre est une preuve d'amour et je l'aime, alors…

– On n'a pas tout à fait la même façon de voir les choses, Mathy.

– Ça se peut. Simon m'a prévenue qu'un amour comme le nôtre peut déranger ceux qui sont jaloux de nous.

– Je ne suis pas jalouse. Mais si tu es à l'aise avec ta décision, ça ne me regarde pas. Tu es mon amie et je te respecte. Je voudrais seulement que tu fasses attention à toi.

– Tu es super, Jo, ne t'inquiète pas. Simon fait très attention à moi.

– Si tu le dis… Oups ! Tu as vu l'heure ! Je dois y aller. William vient souper à la maison.

– C'était bien, cet après-midi de films. Il faudrait refaire ça plus souvent.

– Tu as raison. On pourrait convenir que tous les samedis, on se réserve trois heures entre filles.

– Je ne sais pas. Il faudra que je voie avec Simon s'il est d'accord.

– Pourquoi ? C'est Simon qui décide de tes activités, maintenant ?

– Non, mais il aime bien qu'on soit ensemble la fin de semaine…

– Il travaille souvent le samedi après-midi, qu'est-ce que ça change qu'on se voie ?

– Rien. Il préfère que je lui parle de mes activités avant d'accepter quoi que ce soit. Il veut savoir ce que je fais et avec qui je suis. Ça le rassure, c'est tout.

– Es-tu à l'aise avec le fait qu'il décide pour toi, Mathy ? Tu sais que tu peux prendre tes décisions toute seule.

– Sauf que je ne prends pas toujours les bonnes décisions. Tu sais à quel point je peux être dans la lune. Alors je préfère vérifier avec Simon. En plus, quand on est un couple, c'est normal de décider ensemble.

– Hum… Simon décide pour vous deux, tu veux dire.

– Joanie ! J'ai assez des commentaires de mes parents sur Simon, ne commence pas toi aussi !

– Désolée. Alors, on se rappelle un de ces quatre ?

– Oui. À bientôt.

« Je l'espère… » se dit Joanie en sortant. Ce Simon avait une façon assez inquiétante de voir les relations amoureuses. Mais Joanie préférait garder le silence pour éviter que Mathilde coupe le contact. Déjà qu'elles se voyaient de moins en moins…

Les commentaires de son amie avaient laissé Mathilde perplexe. Elle savait que Joanie n'avait aucune malice et qu'elle était réfléchie. Mathilde accordait donc de l'importance à ce qu'elle lui avait dit. D'un autre côté, Simon était son amoureux et il ne lui voulait pas de mal. Qui croire ? À qui se fier ? Simon lui répétait souvent : « Tu es naïve. N'importe qui peut te faire croire n'importe quoi. » Il avait raison. Elle croyait ce que les gens lui disaient, car pour elle, tout le monde avait de bonnes intentions. Dans ce cas, comment pouvait-elle savoir qui disait la vérité ?

– Mathilde ? Qu'est-ce que tu fais assise là dans l'escalier ? demanda sa mère.

– Je réfléchis.

– Est-ce que je peux t'aider ?

– Non merci. Il y a déjà assez de gens qui veulent m'aider comme ça.

Sans un mot de plus, Mathilde monta dans sa chambre et laissa sa mère songeuse. Sylvie prit conscience à quel point sa fille se refermait comme une huître, ces temps-ci. Elle la sentait s'éloigner, impuissante.

11
S'offrir à l'autre

Après un long bain chaud, Mathilde se sentait plus reposée. Mais surtout, elle avait réfléchi à sa discussion avec Joanie et en était arrivée à la même conclusion : Simon n'avait pas à décider pour elle. Il avait le droit de ne pas aimer ses amies, mais pas de décider si elle pouvait les fréquenter. Après avoir tenté à plusieurs reprises de convaincre son chum qu'il se trompait sur leur compte, Mathilde avait compris qu'il était préférable qu'elle les voie seule. Pourtant, comme par hasard, chaque fois qu'elle voulait les rencontrer, Simon avait prévu une activité avec elle. Ne pouvant refuser de peur de provoquer sa colère, elle remettait sans cesse à plus tard sa sortie entre amies. Revoir Joanie cet après-midi avait fait réaliser à Mathilde à quel point elle s'ennuyait d'elles… Elle venait donc de décider qu'elle profiterait des samedis où Simon travaillait pour les voir plus souvent.

Elle envoya un texto à Joanie pour lui faire part de sa décision, mais n'eut aucune réponse. Bizarre ! Elle texta à nouveau. Toujours rien. Ce n'était pas normal. Mathilde composa donc rapidement le numéro de son amie, mais ce fut William qui répondit, à sa plus grande surprise.

– Joanie est partie à l'hôpital avec sa mère.

– Que s'est-il passé ?! On s'est laissées il y a à peine une heure ou deux !

– Quand nous sommes arrivés à la maison pour le souper, sa mère était étendue par terre. Joanie a appelé l'ambulance et l'a accompagnée à l'hôpital. Je n'en sais pas plus pour le moment.

– C'est terrible ! Peux-tu me donner des nouvelles dès que tu en as ?

– Oui, pas de problème.

– Merci, William.

Envahie par un sentiment de panique, bouleversée par tout ce tumulte intérieur, Mathilde voulait parler à quelqu'un. Elle pensa à Laurence. Elle l'appela, mais n'obtint aucune réponse. Elle ressentait un besoin urgent d'être entourée de bras qui pouvaient la réconforter et l'empêcher d'être emportée par le flot d'émotions. Simon. Sauf qu'il était au billard. Il devait la rejoindre dans deux heures, mais elle était incapable d'attendre jusque-là.

Mathilde sortit en claquant la porte et marcha rapidement en retenant ses larmes. Comment allait-elle pouvoir expliquer à Simon toutes ces émotions qui la secouaient ? La comprendrait-il ? Oui, il la devinait si souvent. C'est ça, l'amour, se disait-elle, connaître l'autre et se soutenir dans les moments difficiles. Il la consolerait et l'accompagnerait à l'hôpital.

Arrivée au bar, elle entra. L'adolescente vit immédiatement Antoine et Simon à la table de billard du fond. Antoine la remarqua en premier.

– Salut Mathilde ! Tu es venue te joindre à nous ? C'est super.

L'instant magique auquel elle s'attendait ne vint jamais. Ce moment où, par un simple regard, Simon aurait compris toute sa peine et l'aurait prise dans ses bras. À la place, elle eut droit à un regard glacial et à un : « Non. Elle est seulement venue me saluer en passant. » Puis, il lui chuchota à l'oreille : « Que fais-tu ici ? Tu es venue m'espionner ? » Les larmes que Mathilde retenait franchirent ses paupières. Simon la prit aussitôt par le bras, en le serrant discrètement mais solidement, et l'amena dans les toilettes, où il verrouilla la porte.

– Tu vas te mettre à pleurer pour me faire passer pour un gros méchant ?

– Non, pas du tout. Simon, je… Je viens d'apprendre une mauvaise nouvelle et…

– Arrête tes histoires. Tu es ici pour voir si je fréquente d'autres filles parce que tu es jalouse. Mon ex faisait la même chose. Elle inventait des histoires pour me suivre partout.

– Je n'invente rien ! La mère de Joanie vient d'entrer à l'hôpital d'urgence et…

Mathilde éclata en sanglots.

– Je ne suis pas venue te surveiller, je te le jure. J'avais besoin de toi. J'ai vraiment beaucoup de peine…

– C'est ça, ta mauvaise nouvelle ? Sa mère est malade. M-A-L-A-D-E. C'est normal qu'elle aille à l'hôpital. Et tu sais quoi ? Elle n'a pas fini d'y aller parce qu'elle a le cancer.

– Simon ! Je m'inquiète pour mon amie et c'est tout ce que tu trouves à dire pour me réconforter ?

– Oui. Il n'y a rien d'autre à dire, ma belle… Et puis pleure moins fort ! Antoine va t'entendre et il va penser que c'est moi qui te fais pleurer.

– Mais, je pensais que tu pouvais compren…

– Ouais, comme d'habitude, tu n'as pensé qu'à toi, la coupa-t-il sèchement. Je suis ici avec des amis pour me relaxer et toi, tu débarques et tu te mets à pleurer. Tu mets tout le monde mal à l'aise, mais tu t'en fiches. Tu as encore agi sans penser. Ça t'arrive souvent, il me semble. Tu devrais apprendre à réfléchir avant d'agir. Tu aurais attendu que je te rejoigne, comme prévu, évitant ainsi de venir m'embêter pour des niaiseries.

– …

– En tout cas, si tu voulais gâcher ma sortie avec les copains, c'est réussi ! Tu ne veux vraiment pas que je m'amuse, hein ?

– Arrête, Simon, c'est faux !

– Bon, les gars vont s'impatienter, je dois y aller. Et ne m'attends pas à l'heure prévue ; je vais devoir reprendre le temps que tu viens de nous faire perdre.

– Je m'excuse, Simon, je m'excuse… sanglota Mathilde.

– Arrête de t'excuser et surtout, arrête de pleurer ! Essuie tes yeux avant de partir, personne ne doit voir que tu as pleuré. Et passe donc par la porte arrière. Tu as assez mis mes amis dans l'embarras comme ça. Je vais t'appeler quand je serai prêt et surtout, termina-t-il en serrant le bras de Mathilde encore plus fort, ne raconte à personne ce qui s'est passé ici. D'accord ?

Cette fois, les doigts de Simon laissèrent une rougeur sur le bras de Mathilde. Cependant, ce furent ses paroles et sa réaction qui lui firent le plus mal. L'adolescente ferma les yeux pour ne pas voir les marques sur son bras, essuya ses larmes et s'obligea à ne plus penser à rien pour cesser de pleurer. Elle se mit à fredonner pour chasser sa peine et sortit par la porte de derrière, comme le lui avait ordonné Simon.

Lorsque Mathilde franchit le pas de la porte, sa mère accourut.

– Qu'est-ce qui se passe, ma chouette ? En sortant, tout à l'heure, tu as claqué la porte si fort qu'un cadre est tombé dans le salon. J'étais inquiète… Est-ce que ça va ?

Il n'en fallut pas plus pour que Mathilde laisse aller sa peine. Les larmes ruisselaient sur ses joues, mais elle ne les essuya pas. Non. Pas celles-là. Simon n'était pas là pour l'obliger à faire comme si de rien n'était. Les bras réconfortants de sa mère l'entourèrent aussitôt et Mathilde posa sa tête sur son épaule.

L'adolescente laissa son cœur s'épancher.

Elle pleura pour son amie, mais aussi à cause des paroles de Simon. Comment quelqu'un qui disait l'aimer pouvait-il la voir éclater en sanglots et lui ordonner de s'en aller ?

– Allez, ma chouette, pleure, ça fait du bien. Ensuite, tu me raconteras tout.

– Maman, j'ai seize ans. C'est tellement bébé, pleurer ! geignit la jeune fille.

– Il n'y a pas d'âge pour pleurer... c'est le langage du cœur.

Et Mathilde lui parla de ce qui était arrivé à la mère de Joanie. Elle décida de garder le silence sur sa dispute avec Simon pour le protéger. Son père le détestait déjà bien assez comme ça, inutile d'en rajouter.

– Tu es certaine que c'est tout, ma chouette ? demanda sa mère.

– Oui... pourquoi ?

– Je t'ai rarement vue aussi touchée par la maladie de la mère de Joanie. S'il y avait autre chose, tu me le dirais n'est-ce pas ?

– Oui, maman. Arrête de t'inquiéter.

– Depuis quelque temps, je te sens tellement loin de moi. Je t'aime, ma grande, et je ne voudrais pas qu'il t'arrive quoi que ce soit.

– Je vais bien et il ne m'arrivera rien.

– Bon, si tu le dis. Est-ce que ça va mieux, maintenant ?

– Oui… et… merci, maman.

– De rien, ma grande, de rien.

Depuis qu'elle travaillait sans repos pour pallier la démission d'une de ses serveuses, Rose était épuisée. La propriétaire du restaurant se disait qu'elle n'arriverait jamais à passer à travers le temps des fêtes si personne ne venait l'aider. Elle avait rappelé quelques anciens employés, mais personne ne voulait d'un poste temporaire de quelques semaines seulement. Aussi, quand la jeune Mathilde vint lui poser des questions sur l'offre d'emploi affichée dans la vitrine, elle n'hésita pas un instant avant de l'engager. Elle avait souvent vu l'adolescente au restaurant. Celle-ci semblait tranquille et souriante. Rose avait tout de même pris le temps de vérifier les motivations de la jeune fille.

– Je fais un voyage avec ma classe et je dois en payer une partie, avait répondu Mathilde. À cause de mes études, je ne peux pas avoir un travail à temps plein durant toute l'année. Donc, le temps partiel me convient. En plus, j'aime bien l'endroit. L'ambiance est super et la clientèle est agréable.

– Est-ce que tu as déjà été serveuse ?

– Non, mais j'apprends vite.

– D'accord. Si tu veux l'emploi, il est à toi. Tu commences ta formation demain matin à huit heures. Tu termineras à treize heures. On verra ce que tu es capable de faire à ce moment-là.

– Merci, j'y serai sans faute !

Mathilde n'en revenait pas. Elle venait d'être engagée comme serveuse ! Quelqu'un lui faisait confiance ! Quelqu'un croyait qu'elle serait capable de travailler et d'avoir des responsabilités. Enfin, elle pourrait prouver à ses parents qu'elle était digne de confiance et qu'ils devaient désormais la traiter comme une adulte. Fière de sa nouvelle, elle appela sa mère puis Laurence sur le chemin du retour.

– Quoi ? Tu es sérieuse ?

– Je te jure ! Je suis officiellement serveuse au resto.

– Wow ! Quand commences-tu ?

– Demain. Ça me rend tellement nerveuse ! Et si je n'étais pas bonne, Lau ?

– Tu seras excellente. En plus, Joanie et moi serons tes premières clientes. Parlant de Jo, est-ce que tu lui as annoncé la bonne nouvelle ?

– Non, pas encore. J'attends à ce soir. Sa mère revient de l'hôpital aujourd'hui et je ne veux pas les déranger.

– Est-ce que tu sais si elle va mieux ?

– Oui. Finalement, ce n'était qu'une chute de pression.

– Et Simon, est-ce que tu lui as dit, pour ton nouvel emploi ?

– Non. Seule ma mère le sait déjà. Et maintenant toi !

– Je suis vraiment contente pour toi, Mathy. Alors on se voit demain au resto Chez Rose ?

– Oui…

Avant même de raccrocher, Mathilde était déjà perdue dans ses pensées. Elle avait été incapable d'avouer à son amie qu'elle n'avait pas eu de nouvelles de Simon depuis deux jours. Aucune nouvelle de lui, pas même un coup de fil, depuis leur dispute. La jeune fille avait tenté de le joindre sur son cellulaire, mais il ne répondait pas. Cette attente était insupportable. Elle pleurait souvent et ressentait une énorme pression dans la poitrine. Mathilde ne savait plus quoi faire. Elle ne pouvait même pas en parler à ses amies, qui seraient furieuses contre Simon et le jugeraient. Non. Elle attendrait encore quelques jours et ensuite, elle leur en parlerait. Simon allait certainement donner signe de vie. Il l'aimait, après tout.

En tournant le coin de sa rue, Mathilde vit Simon, le dos appuyé contre sa voiture. Son cœur manqua un battement et elle courut pour le rejoindre.

Ne sachant pas quelle attitude adopter, Mathilde resta sur ses gardes. Elle était fâchée qu'il ne lui ait pas donné de nouvelles, mais en même temps, elle était contente de le voir. Toutefois, les paroles de Simon l'avaient blessée et le doute qu'il l'aime vraiment avait envahi l'adolescente. Elle ne savait plus si elle pouvait continuer à l'aimer après avoir eu aussi mal par sa faute.

Elle arriva face à lui. Il voulut la prendre dans ses bras, mais elle recula en lui disant qu'ils devaient parler. Elle l'invita à entrer dans la maison et demanda la permission à sa mère pour aller discuter dans sa chambre. Sa mère hésita un peu, mais en voyant l'air sérieux et concentré de Mathilde, elle comprit que c'était important. Elle lui accorda une heure. Ils montèrent dans la chambre de l'adolescente et celle-ci s'installa sur son lit tandis que Simon restait debout.

– Je suis désolé… je ne sais pas ce qui m'a pris, s'excusa-t-il d'emblée.

Mathilde décida de le laisser parler. C'était plus sage, puisque chaque fois qu'elle ouvrait la bouche, elle se mettait les pieds dans les plats.

– Je n'ai pas répondu à tes appels parce que je ne savais pas quoi te dire. Est-ce que tu m'en veux, ma belle ?

– …

– J'ai été un parfait imbécile, admit Simon en s'approchant de Mathilde. J'étais si surpris de te voir au billard que j'ai réagi comme un idiot.

– Je ne t'avais jamais vu comme ça avant, Simon. Le ton sur lequel tu m'as parlé…

– Je sais et je te répète que je suis désolé. Mon ex était tellement contrôlante et jalouse que je me suis promis de ne plus jamais revivre ça avec une autre fille. On dirait que je me méfie depuis ce temps-là.

– Mais je ne suis pas ton ex, Simon ! Je suis *moi* et je n'y allais pas pour te surveiller, je te le jure. Tu m'as fait beaucoup de peine. Je ne veux plus que tu me parles comme ça. Je voulais seulement que tu me consoles. J'avais besoin de toi…

– Si tu savais comme je regrette. Tu es l'amour de ma vie et je ne veux pas te faire de la peine. Je suis là pour te protéger, pas pour te faire du mal ! Tu le sais, ça ? J'ai été maladroit, je regrette tellement… Je ne veux pas te perdre, mon amour, dit Simon en éclatant en sanglots. J'étais certain que tu ne voudrais plus de moi et que c'est pour m'annoncer notre rupture que tu m'appelais. J'étais incapable de répondre. Je t'aime si fort ! Je suis venu chaque soir stationner ma voiture en face de chez toi. Quand je voyais de la lumière dans ta chambre, je savais que tu étais en sécurité, alors je m'en allais.

– C'est vrai ? Tu as vraiment fait ça ? Tu étais là, près de moi, tout ce temps ?

L'avait-elle jugé trop vite ? Il avait été près d'elle tout ce temps ! Il avait cru qu'elle voulait rompre. Elle n'aurait jamais pensé que c'était pour éviter de la perdre qu'il avait gardé le silence. Avoir su… Aussitôt, le cœur de Mathilde s'attendrit et sa mémoire enferma dans une petite boîte leur dispute et le long silence qui s'ensuivit. Elle l'aimait tant !

– Oui, mon amour, répondit Simon. Je n'aurais pas été capable d'être sans nouvelles de toi aussi longtemps. Est-ce que tu me pardonnes ? la supplia-t-il. Je comprendrais que tu ne veuilles plus de moi. Je ne mérite pas une fille aussi géniale que toi.

– Ne dis pas ça. On est fait pour être ensemble. Tu es un gars merveilleux, tu as simplement fait une erreur, c'est tout. Et moi aussi. J'aurais pu t'appeler avant de me rendre au billard. Et après notre dispute, j'aurais pu te laisser un message pour te dire que je n'étais pas fâchée. On ne se refait plus jamais mal comme ça, d'accord ? Promets-le-moi.

– Promis. On oublie tout et on recommence. Je t'aime et je te veux pour toujours. Viens ici que je t'embrasse, amour de ma vie !

Leur baiser de réconciliation fut d'abord doux et affectueux, mais il se transforma en un échange langoureux et interminable.

– Tu es si belle, si attirante. Je ne suis rien sans toi, murmura Simon.

Mathilde ne put répondre, car sa bouche fut à nouveau engloutie. Enhardi par la réconciliation, Simon laissa aller ses mains jusqu'aux seins de Mathilde, qu'il caressa furtivement.

– Est-ce que tu commences à te sentir prête ? J'ai tellement envie de toi. Laisse-moi t'embrasser partout.

En pleine découverte de nouvelles sensations, Mathilde le laissa faire et oublia complètement sa mère. Il lui enleva son chandail. Un peu gênée d'être à moitié nue, elle rougit. Les mains de Simon lui caressaient la poitrine de plus en plus fort. Le pouls de l'adolescente accéléra.

– Est-ce que tu m'aimes, ma belle ? Est-ce que tu me fais confiance ?

– Oui, bien sûr !

– Pourquoi me fais-tu attendre, alors ? Je suis impatient d'être le premier à te faire découvrir ce que signifie vraiment « faire l'amour »...

– Est-ce que ça fait mal, la première fois ?

– Je ne te ferai pas mal, je t'aime trop pour ça. Je vais y aller doucement...

On cogna à la porte. « Mathilde, il est quinze heures et je prépare le souper. Est-ce que Simon reste avec nous ? » Rapidement, les amoureux se séparèrent et Simon fit signe de la tête que non. « Je ne crois pas, maman. Merci quand même pour l'invitation. » Reprenant son souffle, Mathilde enfila son chandail.

– Sérieusement, quand penses-tu être prête ? C'est cruel de me faire languir comme ça. Si tu n'étais pas aussi excitante, ce serait plus facile.

– J'ai envie de toi moi aussi, Simon, mais en même temps je ne sais pas. C'est ma première fois et je ne sais pas à quoi m'attendre.

– Demande à ton amie Laurence, elle pourra te le dire… c'est une experte à ce qu'il paraît.

– Laurence ? Pourquoi dis-tu ça ?

– Devine qui m'en a parlé… Qu'est-ce que tu penses qu'elle a fait avec Antoine quand on est allés chez elle, l'autre jour ?

– Ils ne sortent même pas ensemble !

– Tu sauras que ton amie n'a pas besoin de sortir avec un gars pour aller plus loin. C'est une fille « facile » comme on dit, nous, les gars. Elle couche avec n'importe qui du moment qu'on lui fait quelques compliments. En tout cas, Antoine est chanceux, il n'a pas eu à attendre, *lui*.

– Laurence n'est pas comme ça, je le sais ! Antoine a tout inventé ! explosa Mathilde.

– Ne te fâche pas. C'est la réalité ! Tu es tellement naïve. Ton amie ne demande que ça, c'est évident ! Juste à voir comment elle s'habille…

– Simon ! Arrête de parler comme ça de mon amie, je n'aime pas ça !

– D'accord. Si tu me le demandes. De toute façon, je me fiche bien d'elle. Celle qui m'intéresse et me rend fou, c'est toi…

– Mes amies sont super gentilles et…

– Changeons de sujet, d'accord ? Je n'ai pas envie de me disputer. L'important c'est toi et moi, pas les autres. Qu'est-ce que tu dirais si je te faisais un bon petit souper chez moi, ce soir, pour célébrer notre réconciliation ? Si ta mère accepte, bien entendu. Mes parents ne sont pas là, mais nous ne sommes pas obligés de le lui dire. Je vais pouvoir cuisiner et te concocter mon fameux macaroni à la Simon. Tu seras la première fille à y goûter, chanceuse !

Ils s'embrassèrent à nouveau, mais plus sagement. Ils discutèrent ensuite de la meilleure stratégie pour obtenir la permission d'aller souper ensemble. Simon proposa de faire lui-même la demande à la mère de Mathilde. Le jeune couple descendit la main dans la main et alla voir Sylvie au salon.

– Désolé de vous déranger, mais j'aimerais inviter Mathilde pour souper chez moi ce soir. Je vous promets de la ramener vers huit heures.

– Je ne sais pas…

– Maman, s'il te plaît !

– Tu travailles demain matin, Mathilde. L'as-tu déjà oublié ?

– Je reviendrai tôt pour être en forme.

– D'accord pour cette fois, mais si tu dépasses huit heures, ce sera la dernière.

– Merci, maman, tu es la meilleure mère du monde ! Simon, laisse-moi prendre mon sac et je suis prête.

Le regard de Simon s'était soudainement durci. Il ne savait pas de quel travail parlait la mère de Mathilde et, surtout, pourquoi il n'était pas au courant…

L'ambiance dans la voiture fut lourde. Simon questionna Mathilde sur son travail et elle dut lui expliquer en détail les raisons de sa demande d'emploi.

– Encore ton maudit voyage ! Tu ne penses qu'à ça ! Tu n'auras même plus de temps à m'accorder !

– C'est seulement pour quelques semaines, jusqu'à ce que j'aie amassé suffisamment d'argent.

– Je n'aime pas ça du tout. Il y a plein de gars, au resto. Je vais devoir aller jeter un œil de temps en temps pour ne pas que tu te fasses draguer. Tu es tellement belle.

– N'exagère pas.

– Tu ne t'en rendrais même pas compte… Tu sais bien à quel point tu peux être naïve !

– Ne t'inquiète pas, c'est toi que j'aime. Combien de fois devrai-je te le répéter ?

Pour lui prouver son honnêteté, Mathilde l'embrassa dans le cou en lui caressant la cuisse. Il perdit aussitôt son air fâché. Aussi, quand ils entrèrent dans la maison, tout semblait réglé.

– Alors, es-tu affamée ? demanda Simon.

– Un peu et toi ?

– Beaucoup, mais pas de macaroni… chuchota-t-il en s'approchant de Mathilde assez près pour la mordiller dans le cou.

– Tu es un vrai charmeur, toi !

– Tu m'as ouvert l'appétit, tout à l'heure. Si on faisait autre chose que manger du macaroni ?

– Je ne sais pas si je suis vraiment prête… mais je sais que je t'aime… et tu as été si patient ! Est-ce qu'on peut y aller doucement ?

– Oui, mon amour. Et si tu changes d'idée, on arrêtera. Tu verras, après, notre amour sera encore plus fort, souffla Simon en l'entraînant dans sa chambre.

Tranquillement, il déshabilla Mathilde à nouveau gênée d'être nue, mais aussi curieuse de savoir ce que signifie « faire l'amour ». Elle laissa son amoureux prendre le contrôle de la situation. Après tout, il était plus expérimenté qu'elle. Les mains de Simon commencèrent par flatter les longs cheveux détachés de la jeune fille pendant que sa langue décrivait de petits cercles autour du lobe de son oreille.

– Tu me fais tellement un beau cadeau… murmura-t-il.

Le cerveau engourdi par l'excitation de tous ses sens, Mathilde s'étendit sur le lit. Chaque fois que Simon la caressait, elle ressentait de petits chocs électriques qu'elle se surprit à désirer ardemment. Tout à coup, sans prévenir, les attentions prodiguées par Simon se transformèrent en mouvements mécaniques et saccadés. « Simon, qu'est-ce qui se passe… ? » Respirant de plus en plus fort, ce dernier n'entendit pas sa belle qui lui demandait de ralentir, d'être plus doux. Mathilde sentit le sexe de Simon contre sa cuisse. Elle pensa lui dire qu'elle hésitait à continuer, mais il penserait qu'elle n'était qu'une allumeuse et il n'aimait pas ce genre de fille. « Au point où j'en suis, se dit-elle, aussi bien aller jusqu'au bout. » Avec cette preuve d'amour, Simon saurait qu'elle l'aimait vraiment et il cesserait peut-être de douter d'elle.

C'est le faible bruit que fit l'enveloppe du condom qui ramena Mathilde à la réalité. Ensuite, tout alla très vite. Trop vite.

– Ça fait mal, Simon.

– C'est normal. Relaxe-toi un peu et laisse-moi faire.

Et c'est ce qu'elle fit, même s'il augmenta la force des coups de son bassin. Elle sentait de plus en plus de douleur entre ses cuisses et se mit à souhaiter que cela se termine enfin. Son souhait fut exaucé quelques minutes plus tard, lorsque Simon émit un long soupir rauque. Le mouvement de va-et-vient cessa aussitôt et il se laissa tomber sur le côté.

– Alors, je te l'avais dit que ce serait bon…

– Oui, mon amour… répondit Mathilde, comme un automate.

Que pouvait-elle lui dire d'autre ? Qu'elle avait eu mal ? Qu'il avait été trop brusque ? Qu'elle se demandait pourquoi tout le monde voulait faire l'amour quand ce n'était que ça ? Non, elle ne pouvait pas lui dire cela. Il serait blessé et ne l'aimerait plus.

– Est-ce que tu as mal, ma belle ?

– Oui, un peu.

– La première fois, c'est normal. J'ai essayé d'y aller doucement, mais tu m'as fait attendre tellement longtemps que j'étais trop excité pour ralentir. Tu vas voir, la prochaine fois ce sera meilleur.

Simon alla ensuite prendre une douche. Mathilde aurait aimé qu'il la prenne dans ses bras, que leur moment d'intimité dure plus longtemps, mais pour lui, ça semblait terminé. Lorsqu'il eut terminé, elle se dirigea à son tour vers la salle de bains et ferma la porte. Elle ne regrettait pas d'avoir fait l'amour avec Simon, puisqu'elle l'aimait, mais elle était un peu déçue. Elle aurait aimé qu'il soit plus doux, plus tendre comme il le lui avait promis. D'un autre côté, il l'avait prévenue qu'un gars qui attendait trop longtemps avait de la difficulté à se contenir. Elle aurait dû dire oui avant…

De toute façon, ce qui était fait était fait et au moins, Mathilde se consolait en se disant qu'elle avait eu sa première relation sexuelle avec un gars qu'elle aimait et qui l'aimait en retour. Elle prit une débarbouillette et s'épongea le corps. Maintenant, elle avait envie de tendresse, d'affection et de se retrouver dans les bras de son amoureux. Elle alla rejoindre Simon, qui s'était déjà rhabillé. Il pressa son corps contre celui, toujours nu, de Mathilde. Il la regarda dans les yeux et lui dit : « Notre amour est maintenant encore plus vrai et plus fort parce qu'on s'est donnés l'un à l'autre. Je t'appartiens et tu m'appartiens. On ne fait qu'un pour toujours et personne ne pourra nous séparer. »

12
L'estime au plus bas

Après sa formation, Mathilde avait commencé à travailler plus souvent au restaurant. Étant donné la complexité de la caisse et le besoin urgent d'une serveuse, Rose n'avait pas formé l'adolescente pour la facturation ou pour compter la caisse à la fin de la journée. L'adolescente se contentait donc de prendre les commandes et de servir les clients. Pour le moment, cela lui convenait parce que c'était déjà tout un apprentissage.

Aujourd'hui, c'était la fin de la deuxième semaine de travail de Mathilde et celle-ci s'inquiétait un peu, car Rose avait demandé à la rencontrer pour une brève évaluation. L'heure du rendez-vous arrivée, la jeune fille avait enlevé son tablier et retrouvé Rose dans son bureau. Au même moment, Simon entrait dans le restaurant. Il s'installa discrètement à la table près de la fenêtre et attendit que Mathilde vienne le voir. À sa grande surprise, ce fut Stéphanie qui vint prendre sa commande.

– Bonjour, qu'est-ce qu'on peut vous servir ?

– Où est Mathilde ?

– Je ne sais pas. Elle m'a demandé de la remplacer jusqu'à ce qu'elle revienne. Alors, qu'est-ce que vous allez prendre ?

– Rien, je reviendrai plus tard, répondit Simon avec un air austère.

Ce dernier se demandait bien ce que Mathilde faisait et surtout, avec qui elle était... Il tenta de la joindre sur son cellulaire, mais n'obtint aucune réponse. Il laissa un message et se rendit au billard afin d'être tout près lorsqu'elle le rappellerait « Son explication est mieux d'être bonne ! » pensa le jeune homme.

Pendant ce temps, Mathilde prenait place sur la petite chaise rouge dans le bureau de Rose. Elle était loin de se douter que Simon bouillait de colère et pouvait encore moins deviner ce que sa patronne allait lui dire. Certaine que Rose n'était pas satisfaite de son travail, l'adolescente angoissait. Bien que ses parents et ses amies fussent fiers d'elle, Simon la faisait douter. Il l'avait convaincue qu'elle était incapable d'être une bonne serveuse. « Tes parents et tes amies ne te diront jamais la vérité. Moi si. Ils veulent être gentils, voilà tout. Rose te garde parce qu'elle n'a personne d'autre. N'oublie pas à quel point tu es maladroite et que tu supportes mal la pression, depuis que tu as commencé à travailler. N'espère pas trop, sinon tu risques d'être déçue quand Rose n'aura plus besoin de toi. »

Au début, Mathilde avait répliqué, mais Simon en rajoutait chaque fois. Finalement, elle avait fini par se dire qu'il avait peut-être raison… Simon avait *toujours* raison. Il était si confiant. La jeune fille s'attendait donc à ce que Rose lui annonce que c'était terminé pour elle.

– Alors, Mathilde, comment trouves-tu ton travail jusqu'à maintenant ? Est-ce que tu aimes ça ?

– Ça va bien et oui, j'adore travailler ici. Même plus que je le pensais. Les clients sont gentils et les autres employés aussi.

– Plusieurs clients m'ont fait de bons commentaires à ton sujet. Il y a encore quelques petits ajustements, mais rien de majeur.

– Je sais que je ne suis pas assez rapide pour le service… Et aussi, que j'ai de la difficulté à prendre plusieurs plats à la fois… mais je m'entraîne à la maison ! Je regarde aussi les autres faire quand je suis en pause. Je vais m'améliorer, je vous le promets. Je sais qu'après deux semaines, je devrais être meilleure…

– Qui t'a dit ça ?

– Mon copain, Simon. Il m'a dit qu'après deux semaines, je devrais être aussi bonne que Stéphanie et que je suis chanceuse que vous me gardiez, même si je suis un peu maladroite et que je ne suis pas rapide.

– Je pense que ton copain se trompe, Mathilde. Stéphanie travaille ici depuis deux ans et laisse-moi te dire qu'elle était comme toi à ses débuts. C'est moi qui suis chanceuse de t'avoir. Tu es une employée souriante, disponible et dynamique, avec en prime un grand désir d'apprendre. Tous les employeurs rêvent d'avoir des employés comme toi !

– Alors vous êtes satisfaite de mon travail ?

– Oui. Très satisfaite, même. Je ne pouvais pas demander mieux. C'est pour ça que je voulais te parler. J'ai constaté que tu étais responsable et que tu prenais ton travail au sérieux. Je voudrais donc t'offrir plus de responsabilités. Qu'est-ce que tu dirais de t'occuper de l'ouverture du resto ?

– Moi ? Mais je suis bien trop distraite…

– Tu n'es pas distraite, tu es en apprentissage ! Je sais que tu en es capable, sinon je ne te l'offrirais pas. Je te fais confiance et j'aimerais que ce soit toi, alors, est-ce que tu acceptes ?

– C'est la première fois qu'on me donne autant de responsabilités. Je ne sais pas quoi dire…

– Prends le temps d'y penser. Je te laisse jusqu'à demain soir pour me donner ta réponse.

– D'accord. Merci, Rose. Vous êtes vraiment gentille.

– C'est moi qui te remercie. Tu es arrivée comme un ange pour m'aider avant le temps des fêtes. Allez, retourne travailler, Stéphanie doit s'impatienter.

Mathilde quitta le bureau de sa patronne avec le cœur réchauffé par tous ces compliments. Elle se laissa porter par la fierté jusqu'à ce qu'une brise froide vienne lui souffler les paroles de Simon : « Tu es si distraite et maladroite. C'est une chance qu'elle t'ait engagée. Quand elle te connaîtra vraiment… » Et s'il avait raison ? Si Rose lui offrait trop de responsabilités pour ses capacités et qu'elle n'arrivait pas à satisfaire ses attentes ? De plus en plus, Mathilde doutait d'elle-même. Elle avait déjà eu plus confiance en elle, mais depuis que Simon lui faisait voir la vérité en face, elle réalisait qu'elle avait plusieurs défauts, finalement. Et puis, n'était-ce pas étrange qu'une inconnue lui fasse autant de compliments après seulement deux semaines ? Simon lui dirait qu'il y a certainement une raison cachée à cela… Pourtant, Rose avait l'air sincère. Peut-être qu'elle pensait ce qu'elle disait ?

Les voix de Rose et de Simon s'opposèrent jusqu'à ce que Mathilde décide de faire la sourde oreille aux deux. Elle prit son cellulaire pour en discuter avec Joanie et Laurence. Au moment de composer, elle vit les dix appels manqués de Simon. Elle crut bon le rappeler en premier. Ça devait être important ! Dix appels et un message en vingt minutes…

– Simon, c'est moi. Est-ce que ça va ?

– Tu es où ?

– Au resto, pourquoi ?

– Menteuse ! J'y suis allé et tu n'y étais pas. C'est l'autre serveuse qui est venue prendre ma commande.

– Je suis au travail, Simon, je te le jure.

– Ah oui ? Et avec qui ? Le cuisinier, peut-être ?

– Non.

– Je vois clair dans ton petit jeu, Mathilde. Tu étais partie en douce pour aller retrouver le cuisinier.

– Qu'est-ce que tu inventes là ? J'étais en rencontre avec Rose. Elle voulait m'annoncer qu'elle était satisfaite de mon travail et m'offrir l'ouverture du resto.

– Pfff ! L'ouverture ? Trouve une autre excuse. Tu manques beaucoup trop de confiance en toi.

– Rose dit que j'en suis capable, que je travaille bien…

– Et tu l'as crue ? Tu ne vois pas qu'elle a simplement l'intention de te refiler les heures dont personne ne veut ? Si elle te faisait vraiment confiance, elle t'offrirait de compter la caisse.

– Tu penses ?

– Je te connais depuis plus longtemps qu'elle, non ? Qui penses-tu qui est le mieux placé pour te dire la vérité ? De toute façon, tu n'es pas faite pour avoir autant de responsabilités. Tu deviens stressée et maladroite. N'essaie pas d'être quelqu'un d'autre, tu vas te rendre malade. En plus, tu n'auras plus de temps pour nous deux… En tout cas, fais ce que tu veux, mais ne viens pas me dire que je ne t'avais pas prévenue.

– Je ne suis pas si maladroite que ça…

– Pourtant, chaque fois que je suis allé au resto, tu as échappé des assiettes ou tu t'es trompée dans les commandes.

– Quand tu es là, je suis plus stressée et donc plus maladroite.

– Pourquoi ? Tu as quelque chose à cacher ?

– Non, mais tu n'arrêtes pas de me regarder. Ça me met de la pression…

– C'est ce que je disais. Quand tu as de la pression, tu rates tout.

– Pas tout le temps, juste quand c'est toi…

– En acceptant ce boulot de serveuse, c'est ce que tu voulais, non, que tout le monde te regarde ? Alors c'est ce que je fais. Et je constate que tu es loin d'être à la hauteur…

Tu me fais tellement honte quand tu souris bêtement aux clients et que tu prends ta petite voix pour dire « merci et bonne journée ». Tu les énerves avec tes petits airs et ils se moquent de toi quand ils sortent du resto.

– C'est faux ! Il y a même un client qui m'a dit que j'avais un beau sourire et que c'était agréable de m'avoir comme serveuse.

– Il a dit ça parce que ce sont tes belles petites fesses qu'il trouve agréables à regarder, certainement pas parce que tu es une bonne serveuse. Il y en a d'autres qui sont bien meilleures que toi. Il ne faisait que te draguer et toi tu es tombée dans le panneau.

– Simon, arrête ! cria Mathilde en éclatant en sanglots.

– Tu ne veux pas entendre la vérité ? Ah oui, j'oubliais, madame est susceptible ! Elle se pense parfaite. Elle n'a pas besoin que son chum lui fasse voir la réalité pour la protéger. Tout ce qui compte, c'est ton maudit travail pour ton maudit voyage. Moi, je ne compte plus pour rien. Alors organise-toi toute seule.

Et Simon raccrocha. Mathilde se demanda où était donc passé le Simon doux et affectueux des premières semaines ? Où était ce gars qui lui parlait d'amour et la cajolait ? Qui la faisait sentir belle et importante ? Elle pleura sans pouvoir s'arrêter et courut se cacher dans la salle réservée au personnel. Elle n'avait plus le goût d'appeler ses amies. Une moins que rien, voilà ce qu'elle était. Une serveuse ratée que tout le monde pointe du doigt à chacune de ses gaffes. Simon avait raison. Pourquoi est-ce que son propre copain, qui l'aime, lui mentirait ? Il avait seulement le courage de lui dire ce que les autres pensaient tout bas. Elle était décidément trop idiote pour ouvrir le restaurant le matin. Elle sécha ses larmes et retourna dans le bureau de Rose. Comme sa patronne était absente, Mathilde lui laissa une note : « Bonjour, Rose. Merci pour votre offre, mais je ne peux pas l'accepter. Je préfère garder mes responsabilités actuelles. »

Lorsqu'elle ressortit du bureau, elle avait l'esprit engourdi par les propos de Simon. Une chance qu'il était là ! Sinon, elle aurait accepté l'offre de Rose et se serait couverte de ridicule. Elle devait se satisfaire d'être serveuse, c'était déjà beaucoup pour elle…

Le soleil se couchait et Rose terminait de compter la caisse. Elle songeait de plus en plus à former la jeune Mathilde pour cette tâche. Elle sentait chez elle les aptitudes nécessaires pour le faire. Elle avait été déçue en voyant la note de refus de la jeune fille. Elle ne comprenait pas ce qui s'était passé. Lorsqu'elle lui avait fait l'offre, le regard de l'adolescente s'était illuminé et Rose l'avait sentie prête à accepter. Dommage… Elle voyait en elle toutes les qualités pour devenir gérante. Mais la propriétaire du restaurant n'abandonnerait pas aussi facilement une employée avec autant de potentiel. Elle allait découvrir ce qui n'allait pas et reviendrait à la charge.

La lune brillait et Mathilde comptait les étoiles. Elle attendait une étoile filante pour faire un vœu. Aucune étoile ne fit de course folle dans le ciel et Mathilde alla se coucher en soupirant. Elle ressentait un immense vide en elle. Elle était si perdue, éteinte. Avec sa piètre personnalité, elle se trouvait bien chanceuse d'avoir malgré tout un copain et un travail.

On frappa à la porte, puis son père entra.

– Salut ma grande, ça va ?

– Oui.

– Le travail te plaît toujours ?

– Oui.

– L'école, ça va aussi ?

– Oui.

– Hum… Tes réponses ne sont pas des plus explicites. Il y a certainement quelque chose qui ne va pas.

– Non. Je te dis que tout va bien. La fatigue, c'est tout. Vous voyez tout le temps des drames partout, maman et toi.

– On s'inquiète pour toi, Mathilde. On te voit de moins en moins. Tu ne souris plus, tu ne taquines plus ta sœur et tu ne nous demandes même plus d'aller chez tes amies. Est-ce que Simon y est pour quelque chose ?

– Simon n'a rien à voir là-dedans ! s'énerva Mathilde. C'est normal que je sois épuisée : je vais à l'école et je travaille. Ce n'est pas facile ! En plus, j'ai mes soirées de révision en anglais avec les filles, mentit-elle tout en sachant pertinemment qu'elle n'y était pas allée depuis des semaines.

– Ne te fâche pas. Ta mère et moi voulons seulement nous assurer que tu vas bien. Et si ce n'est pas le cas, nous sommes là pour toi.

– Je sais déjà tout ça. Vous me le répétez cent fois par semaine !

– Si le travail t'épuise trop, tu n'as qu'à arrêter. On voudrait bien retrouver notre Mathilde souriante et chaleureuse.

– Je pensais justement abandonner le travail. Je ne suis pas assez bonne pour être serveuse.

– Quoi ? Tu exagères, Mathilde. Les clients t'apprécient, tu nous l'as dit toi-même. Rose semble satisfaite et…

– Tout le monde fait semblant ! Et tout le monde pense que je ne remarque rien. Mais vous vous trompez. Je ne suis pas si naïve que ça. Vous avez fini de vous moquer de moi !

Sur ces dernières paroles, Mathilde tourna le dos à son père. Paul resta bouche bée. Jamais il n'avait vu sa fille dans cet état. Il ne la reconnaissait tout simplement pas. Déboussolé, il quitta la chambre pour aller raconter à Sylvie ce qui venait de se passer. Peut-être aurait-elle des réponses ?

Son père parti, Mathilde se leva. Elle n'arriverait jamais à dormir dans cet état. Qu'est-ce qu'ils avaient donc tous à s'inquiéter ? Ses amies lui disaient la même chose. Pourtant, elle n'avait pas changé ! Tout le monde faisait un drame avec un rien. Pour apaiser sa colère, l'adolescente décida de préparer ses vêtements pour le lendemain. Elle regarda sa jupe verte et son chandail ajusté à la taille. Non. Trop sexy selon Simon. Elle ferait mieux de porter sa jupe bohème et sa blouse sans décolleté. Oui. Alors si Simon lui rendait une visite surprise à l'école – il le faisait régulièrement depuis le début des classes –, il serait content qu'elle soit habillée convenablement.

Elle rangea ensuite son maquillage, dont elle ne se servait plus depuis longtemps. Simon aimait qu'elle soit au naturel. Puis elle sortit ses ballerines. La semaine, elle ne pouvait pas mettre ses souliers à talons. Simon le lui avait interdit lorsqu'il n'était pas là. Selon lui, une fille amoureuse de son copain n'essaie pas d'être belle quand il n'est pas avec elle. Elle évitait ainsi de le mettre encore plus en colère…

La culpabilité l'envahit à nouveau. Elle aurait dû dire à Stéphanie qu'elle était en rencontre avec Rose. Elle n'aurait pas dû fermer son cellulaire. Elle se trouvait si stupide quand elle faisait fâcher Simon comme ça, pour rien !

Une boule se forma dans son ventre. Elle appréhendait sa prochaine discussion avec lui. En attendant de trouver le sommeil, elle réfléchit à la meilleure façon de faire comprendre à Simon que tout ça n'était qu'un autre malentendu. Elle avait essayé si souvent, sans résultats. Peut-être que cette fois-ci serait la bonne ?

13
Un cadeau empoisonné

L'école avait fermé ses portes pour le temps des fêtes. Il ne restait plus qu'à patienter quelques jours avant les célébrations. Dans la cuisine, Joanie marchait de long en large et tentait de se calmer du mieux qu'elle pouvait. Ses parents étaient partis tôt ce matin pour aller rencontrer le médecin de sa mère. Ils devaient recevoir les résultats des derniers traitements de chimio. Tous les scénarios se dessinaient dans la tête de l'adolescente. Toutefois, dans son cœur, un seul parvenait à l'apaiser : celui d'une possible rémission. Les minutes s'éternisaient et rendaient l'attente insoutenable.

Ayant besoin d'un peu de soutien, Joanie envoya un texto à Mathilde, mais n'eut aucune réponse. Elle était probablement au travail. L'adolescente appela ensuite Laurence sur son cellulaire. Cette dernière s'empressa de la rejoindre.

– Lau, tu ne peux pas savoir à quel point je suis contente que tu sois là, dit Joanie les larmes aux yeux.

– C'est normal, Jo. C'est à ça que servent les amies.

Laurence entoura les épaules de Joanie, qui se laissa aller à pleurer doucement, sans bruit. Laurence laissa elle aussi couler quelques larmes. C'était difficile de voir sa meilleure amie avoir autant de peine.

– Je n'en peux plus d'attendre. Change-moi les idées, demanda Joanie après avoir séché ses yeux.

– Parle-moi donc de ton beau William. Comment ça va avec lui ?

– C'est super. Il est gentil et attentionné. Mes parents l'aiment beaucoup et mes frères aussi. Je ne peux pas demander mieux.

– Ouais. Tu aurais pu tomber sur pire. Pense à Mathy.

– Toi aussi tu te méfies de Simon ?

– Ce n'est pas de la méfiance, c'est simplement de la perspicacité. Depuis qu'il sort avec Mathy, on ne la voit plus. Et quand on la voit, il passe son temps à l'appeler pour savoir ce qu'elle fait. Ce n'est pas normal. J'ai bien essayé de lui en parler, mais elle le défend tout le temps. Si elle aime être contrôlée, c'est elle la pire. Moi, je laisse tomber.

– On ne peut pas l'abandonner, Lau. C'est notre amie !

– Qu'est-ce que tu veux qu'on fasse ? On ne la voit plus. On ne s'envoie même plus de textos. Elle est constamment chez Simon. Elle ne vient pas non plus à nos soirées de révision d'anglais. Son choix est clair : c'est lui.

– Elle l'aime tellement. C'est normal qu'elle le défende. Ce n'est pas une raison pour la laisser tomber. Au contraire. On doit rester dans les parages pour être là quand elle aura besoin de nous. Il ne faut pas lui dire ce qu'on pense de Simon, car sinon, elle va couper le peu de contact qu'il nous reste.

– Tu penses ?

– J'ai vu plusieurs personnes lui dire que Simon n'est pas un bon gars et chaque fois, elle a pris ses distances. On ne doit pas faire la même erreur. Si elle s'éloigne de nous pour de bon, on devra s'inquiéter encore plus.

– Ouais. Tu as probablement raison. Mais il m'énerve, ce Simon. Mathy a tellement changé depuis qu'elle sort avec lui…

– Je m'ennuie d'elle, Lau. Et de notre trio aussi. On pourrait l'inviter à faire quelque chose, avec Simon, bien sûr. Qu'est-ce que tu en penses ?

– C'est fou tout ce qu'on peut faire pour des amies ! Même endurer le pire crétin de la terre pendant toute une soirée… D'accord. Je m'en occupe. En attendant, je prendrais bien un petit quelque chose à boi…

Les dernières paroles de Laurence se perdirent dans le brouhaha créé par l'arrivée des parents de Joanie. Ses deux petits frères montèrent aussitôt l'escalier en vitesse. Joanie se leva et attendit le pronostic, le visage livide. Sa mère pleurait et son père souriait faiblement.

– Le médecin a dit que tout était beau, dit sa mère avec soulagement. Fini les traitements et l'inquiétude.

– Oh, maman ! s'écria Joanie en laissant couler ses larmes, c'est vrai ?

– Pour le moment, oui, acquiesça sa mère en ouvrant les bras pour y accueillir sa fille.

Parents et enfants s'enlacèrent dans l'euphorie générale. Alors que la famille célébrait, Laurence prit son manteau et partit en douce. Elle avait une soudaine envie de voir sa mère et de la prendre dans ses bras…

La douche faisait un bien fou à Mathilde. Elle prenait le temps de laisser couler sur elle chaque goutte d'eau et de s'imprégner de la chaleur du jet. Peut-être parviendrait-elle enfin à se relaxer… Elle se sentait tendue depuis quelque temps et elle ignorait pourquoi. Études, nouveau travail, anglais… elle ne savait plus de qui ou de quoi son stress résultait, mais elle était en permanence sous tension. Un peu comme si elle marchait tout le temps sur des œufs. Au début, son état l'avait inquiétée, mais elle s'appliquait maintenant à l'ignorer.

L'adolescente termina sa douche et s'épongea les cheveux. Pendant qu'elle utilisait le séchoir, son cellulaire sonna. Le bruit assourdissant de l'appareil l'empêcha d'entendre la sonnerie du téléphone, même si celui-ci sonna à trois reprises. Les cheveux enfin secs, elle quitta la salle de bains, la serviette enroulée autour du corps. Elle se dirigeait vers sa chambre lorsque son père lui cria que Simon était là. Quoi ?!? Son cœur se mit à accélérer et son état de tension augmenta. Elle s'habilla rapidement, puis vérifia son cellulaire. Il avait appelé trois fois ! Pas de temps à perdre. Elle noua ses cheveux – c'était ce que Simon préférait – et descendit le rejoindre.

– Excuse-moi, Simon. Je n'ai pas entendu mon cellulaire. Avec le bruit du séchoir…

– Pas de problème. Je me suis dis que tu l'avais encore oublié quelque part. Je sais que c'est ton genre…

– Je suis vraiment désolée…

– Je voudrais te parler. Est-ce qu'on peut se voir seuls ?

– Papa, est-ce qu'on peut monter dans ma chambre ? On doit parler.

– Je préfère que vous restiez dans le salon, objecta Paul.

Peu surpris de ce refus, les deux amoureux s'installèrent sur le divan.

– Ton père ne me fait vraiment pas confiance, marmonna Simon. Tu vois bien qu'il ne m'aime pas.

– Simon, ne recommence pas.

– Moi qui étais venu te donner un cadeau, je suis reçu comme un paria.

– Un cadeau ? Pourquoi ?

– Parce que je t'aime et parce que tu es la fille la plus merveilleuse du monde.

Il remit à Mathilde une grande boîte rectangulaire blanche. Des chaussures !! Quand elle l'ouvrit, elle découvrit des escarpins comme ceux des actrices à Hollywood : talons hauts, sangles à la cheville, bout pointu et de couleur noir scintillant. La jeune fille eut un cri de surprise :

– Simon, merci ! Tu n'aurais pas dû ! Ça coûte un prix fou des souliers comme ça !

– Est-ce que tu les aimes ?

– Oh ouiiiii ! Ils sont super.

– C'est tout ce qui compte. Tu vas être belle et sexy avec ces souliers-là. Ça allonge les jambes à l'infini. La seule condition, c'est que tu les portes uniquement quand je suis avec toi. Je ne voudrais pas me faire voler ma blonde…

– C'est bien trop pour moi !

– Je sais que mes propos t'ont fait de la peine, l'autre jour, après l'offre de Rose, mais ce resto ne te mérite pas. Tu es bien trop intelligente pour travailler comme une simple serveuse. C'est pour ça que je te pousse parfois à plus. Je t'aime et je veux te protéger, je ne veux pas que tu souffres ou que tu sois déçue. Mais j'ai peut-être été trop direct… Je vais faire attention, à l'avenir.

– Tu es adorable, dit Mathilde en l'embrassant. Tu avais raison, de toute façon. Je n'aurais jamais été capable…

– Tssst, tssst ! Ne mélange pas tout. J'ai dit que tu serais stressée, pas que tu n'étais pas capable. Je ne rabaisserais jamais la fille que j'aime ! Et si je ne t'aimais pas à la folie, est-ce que je t'aurais acheté ce cadeau ?

– Pourtant, Simon, je me souviens… Tu m'as bel et bien dit que j'en étais incapable, osa répondre Mathilde.

– N'essaie pas de me faire dire quelque chose que je n'ai pas dit ! grogna Simon. Tu mélanges tout et tu écoutes à moitié quand je te parle. Ne viens pas me dire que j'ai tort ! Je suis patient avec toi et j'accepte toutes tes gaffes, mais là, tu exagères. Quel genre d'amoureux je serais si je te traitais d'incapable ?

Son regard se fit sérieux et sa main serra le bras de Mathilde pour lui faire comprendre qu'il valait mieux ne plus lui tenir tête. L'adolescente réalisa qu'elle venait encore de franchir la limite de Simon, limite qui n'était d'ailleurs jamais la même. Habituellement, elle se taisait pour éviter qu'il se fâche, mais cette fois, elle était certaine de ce qu'elle disait. Regretterait-elle cette témérité dont elle venait de faire preuve ?

Tout se bousculait dans sa tête et sa tension augmenta d'un cran. Il avait raison, après tout. Elle interprétait souvent mal les propos des autres. En plus, il venait de lui offrir un cadeau hors de prix et elle, elle était là à insister, à vouloir prouver qu'elle avait raison. Oh et puis tant pis ! Avoir raison ou tort, peu importait. Elle voulait simplement retrouver le beau Simon enjoué qui était arrivé tout à l'heure.

Son chum desserra enfin le bras de Mathilde, qui se leva. Il l'empoigna à nouveau pour qu'elle revienne sur le sofa, faisant tomber accidentellement la télécommande.

– Mathilde, qu'est-ce qui se passe ? cria Paul de la cuisine.

– Rien. J'ai seulement échappé la télécommande.

– Tu vois ce que tu me fais faire, encore ! lui reprocha Simon à voix basse.

– Je suis désolée, Simon. Si j'essayais tes souliers pour que tu sois le premier à me voir les porter ? proposa l'adolescente pour lui changer les idées et tenter de le calmer.

– Bonne idée.

Mathilde enfila les chaussures. Elles étaient très inconfortables, mais elle n'en laissa rien paraître. La hauteur du talon rendait le maintien de l'équilibre difficile. Avec un peu d'entraînement, elle arriverait certainement à les porter.

– Wow, un vrai pétard ! Je veux que tu les portes lorsqu'on aura une occasion spéciale, tous les deux. C'est tellement beau une fille avec des souliers à talons.

– Ils sont vraiment hauts ! Je vais avoir mal aux pieds…

– Si tu ne les aimes pas, tu peux me le dire. Je les rapporte au magasin aujourd'hui. Mais ils te vont si bien. Ça te donne un look plus mature, plus sexy.

– Ce n'est pas que je ne les aime pas… Seulement, je n'aurai pas l'occasion de les porter souvent.

– Tu auras justement l'occasion de le faire dès ce soir. On est invités chez mon frère, Justin. Tu sais, celui qui a vingt et un ans ? Tu ne l'as pas encore rencontré, mais il est hypercool. Il fait une fête avec ses amis.

– Est-ce qu'il y aura d'autres filles ?

– Oui et c'est pour ça que tu dois porter tes souliers ce soir. J'ai la blonde la plus belle et je veux que tout le monde la regarde. Alors, est-ce que tu m'accompagnes, beauté fatale ?

– Je serais heureuse d'y aller avec toi. Laisse-moi d'abord demander la permission à mon père. J'oubliais, c'est à quelle heure ?

– Vingt heures. Mais dis-lui que c'est à dix-neuf heures, comme ça on va avoir le temps d'aller chez moi avant pour se coller un peu… Tu sais, ça fait longtemps et je commence à être en manque.

– Longtemps ? Ça fait moins d'une semaine !

– Une semaine, c'est une éternité quand on aime comme je t'aime. Toi, tu ne m'aimes plus ?

– Tu sais bien que je t'aime… Je dirai donc six heures à mon père et on pourra se coller plus longtemps. Attends-moi ici, c'est mieux que je sois seule.

Avant d'aller voir son père, Mathilde enfila un chandail à manches longues pour cacher son bras, où les marques étaient encore apparentes. Personne ne devait voir ça.

Paul ne fut pas surpris de la demande de sa fille. Chaque fois que son copain venait, elle avait une requête. Soulagé que ce ne soit pas pour aller chez Simon, Paul fut moins réticent à accepter. Il prononça son éternel discours sur l'alcool, la vitesse au volant et surtout sur l'heure de retour.

Mathilde l'embrassa sur la joue en le remerciant et il sentit son cœur se serrer. Dire qu'il n'y avait pas si longtemps, habillée de son pyjama à oursons, elle lui sautait au cou tous les soirs et l'embrassait sur la joue avant d'aller au lit…

14
Déguisée pour plaire

L'esprit des fêtes semblait avoir pris possession de toutes les chaînes de radio, qui diffusaient en boucle de la musique de Noël. Simon, qui s'impatientait de trouver un stationnement, ferma la radio en disant que la musique allait le rendre fou. Lorsqu'il était dans cet état d'esprit, Mathilde avait appris à garder le silence. Tout ce qu'elle pouvait dire se retournerait contre elle, de toute façon. Elle tenta plutôt de l'apaiser.

– Peut-être qu'un peu plus loin, derrière le bloc, il y aurait de la place ? avança-t-elle.

– C'est moi qui conduis et c'est moi qui décide où stationner ma voiture, OK ?

– D'accord… c'est juste que ça fait au moins vingt minutes qu'on tourne autour du bloc.

– Je déteste laisser ma voiture loin. C'est la faute de mon frère aussi, il a invité toute la ville !

– Je le répète, il y a des places plus loin.

– Toi, quand tu décides que tu t'y mets, tu ne lâches pas le morceau ! C'est quoi ton problème ?

– J'ai hâte d'arriver, rétorqua Mathilde qui n'en pouvait plus d'entendre Simon se plaindre.

– Madame est pressée d'aller à la fête ? Tu as hâte de te montrer, c'est ça ? D'accord, on va se stationner juste ici et si on a une contravention, c'est toi qui la payeras, ma belle. *Tu* es pressée, pas moi.

L'adolescente crut bon de garder le silence. Elle en avait déjà trop dit.

– Maintenant, les conseils pour la soirée, continua Simon.

Mathilde attendit la suite, sans dire un mot, sachant qu'elle n'avait pas le choix.

– Ce soir, il y aura plusieurs personnes qu'on ne connaît pas. Tu sais à quel point tu as tendance à te mettre les pieds dans les plats ? J'aimerais que tu n'attires pas trop l'attention pour une fois. Pas d'alcool, de grands fous rires et de farces plates. Tu restes près de moi et tu parles si je te fais signe, c'est tout.

– Oui, Simon. Tu me l'as déjà dit avant de partir.

– Je sais, mais je préfère te le répéter parce que la dernière fois, chez Laurence, tu as réussi à me mettre dans l'embarras même si je t'avais avertie. Mon frère ne te connaît pas, lui. C'est ce soir qu'il va se faire une idée sur le genre de fille que tu es. Quand je vais dans ta famille, je fais attention, alors ce soir, je veux que tu fasses le même effort pour moi.

– C'est promis, mon amour.

– Avec ton look, tu vas épater tout le monde, reprit Simon en plongeant son regard dans le décolleté de Mathilde.

– Es-tu certain que ce n'est pas trop ? douta l'adolescente en tentant de cacher sa poitrine. Je ne suis pas très à l'aise habillée comme ça. C'est vraiment parce que tu me le demandes…

– Tu aimerais mieux avoir l'air d'une grand-mère ? J'aime les filles sexy et j'aime que tout le monde regarde ma blonde. C'est agréable de savoir qu'un tas de gars m'envient.

Et sur ces dernières paroles, il embrassa lascivement Mathilde en lui soufflant à l'oreille : « Tu es l'amour de ma vie, sans toi je ne suis rien. Tu ne regarderas aucun autre gars ce soir, c'est compris ? » Il termina sa question en posant sa main sur le bras de l'adolescente. Il ne serra même pas les doigts. Pas besoin. Le geste en lui-même indiquait clairement à Mathilde les conséquences possibles si elle désobéissait.

– Tu es le seul que je regarderai parce que c'est *toi* que j'aime, affirma-t-elle pour le rassurer.

Elle se laissa ensuite embrasser à nouveau, puis les amoureux descendirent de la voiture et, la main dans la main, se dirigèrent chez Justin.

La soirée venait tout juste de commencer quand Laurence, Joanie et William les rejoignirent. Ce dernier avait été invité, car il connaissait bien Justin. Ni Simon ni Mathilde n'étaient au courant qu'ils seraient présents. Les filles étaient très contentes de surprendre leur amie, à qui elles n'avaient pas parlé depuis plusieurs jours.

Laurence aperçut d'abord Simon, qui discutait avec son frère. Elle chercha Mathilde du regard, mais ne la trouva pas. Elle demanda à Joanie si elle l'avait vue. En guise de réponse, elle pointa la fille à côté de Simon. Laurence la reconnut à peine : talons hauts, jeans moulant, chandail décolleté, cheveux relevés et maquillage ultrabrillant. Elle affichait un air distant et renfermé. Cette fille était loin de ressembler à Mathilde, toujours souriante, enjouée et naturelle !

– Jo, veux-tu me dire à quoi elle joue, habillée comme ça ?

– Je ne sais pas. Je suis aussi surprise que toi.

– Il est temps que nous fassions quelque chose.

Aucune des deux ne put ajouter quoi que ce soit. Elles gardaient les yeux rivés sur leur amie, qui attendait sagement d'être présentée à l'hôte de la soirée.

Après avoir discuté quelques minutes avec son frère, Simon se décida enfin à lui présenter Mathilde.

– Justin, voici ma copine, Mathilde.

– Salut, content de te rencontrer. Mon frère a toujours eu du goût, mais là, il se surpasse.

– Je suis très heureuse de te rencontrer aussi, Justin.

– Passe une belle soirée ! Et si mon frère ne s'occupe pas bien de toi, fais-moi signe ! ajouta-t-il avec un regard charmeur.

Justin tourna ensuite les talons et se dirigea vers un petit groupe de filles. Surprise, Mathilde regarda Simon, guettant sa réaction.

– Mon frère a toujours été jaloux de mes copines. Je savais que tu lui plairais. Laisse-le passer ses petits commentaires, mais ne t'approche pas trop de lui. Viens que je te présente à mes amis.

Et c'est ce qu'il fit pendant les vingt minutes qui suivirent. Puis Simon signifia à Mathilde qu'il allait se chercher à boire.

– Tu n'as qu'à rester ici, je reviens dans quelques minutes.

Mal à l'aise de se sentir comme le trophée de Simon depuis son arrivée, Mathilde fut soulagée de ce moment de répit. Elle aurait bien aimé voir quelqu'un qu'elle connaissait… Tout à coup, elle aperçut une fille qui lui faisait de grands signes. Joanie !! Emballée et soulagée, Mathilde s'empressa d'aller la rejoindre, oubliant aussitôt que Simon lui avait ordonné de l'attendre. Laurence revint de la salle de bains au même moment. Les trois amies étaient très contentes d'être réunies et leurs effusions de joie emplirent la pièce un instant.

– On a essayé de t'appeler. Les piles de ton cellulaire sont mortes ou quoi ? demanda Laurence.

– Je l'ai prêté à Simon. Il a perdu le sien dernièrement.

– Et le message que j'y ai laissé ?

– Il a dû oublier de m'en parler. Peu importe. L'important c'est que vous soyez là ! Je ne connais personne ici et c'est assez stressant.

– Si ça peut te rassurer, on est là pour la soirée. Alors, qu'est-ce que tu deviens ?

Le seul qui ne fut pas heureux de voir Laurence et Joanie était Simon. Il observait la scène de loin. « Je l'ai pourtant avertie de rester calme. Elle ne m'écoute vraiment pas », pensait-il.

L'émotion du moment prit le dessus sur les trois amies jusqu'à ce que Joanie entoure les épaules de Mathilde et Laurence en leur disant :

– Les filles, je vous adore, sauf que je pense qu'on rit trop fort. Tout le monde nous regarde !

– On s'en fiche, on a du plaisir ! On ne fait rien de mal, rétorqua Laurence en éclatant de rire pour la millième fois.

Contrairement à Laurence, la remarque de Joanie avait frappé Mathilde de plein fouet. *Tout le monde les regardait !* Une lumière rouge s'alluma dans son esprit et la panique la gagna. Si Simon s'en rendait compte, il serait furieux ! Encore une fois, elle avait attiré l'attention. Elle n'avait pas respecté les consignes. Décidément, c'était plus fort qu'elle. Il fallait tout le temps qu'elle se mette dans le pétrin.

– Qu'est-ce qui se passe, Mathy, tu es toute blême, est-ce que ça va ? s'enquit Joanie.

Comment parler à ses amies de l'angoisse qui la tenaillait ? Comment leur dire qu'elle allait être réprimandée, qu'elle serait au banc des accusés ? Jugée par son chum, pour lui avoir fait honte, elle recevrait une sentence sous forme de bouderies ou de remarques mesquines. La poitrine de la jeune fille se serra, son souffle se fit saccadé et elle se sentit défaillir. Ses jambes cédèrent sous son poids et l'image de ses amies devint floue.

« William ! Viens nous aider à la soutenir, entendit Mathilde. Nous allons lui faire prendre l'air dehors avant qu'elle tombe dans les pommes. »

William accepta par un signe de tête et prit Mathilde par la taille.

Simon, qui venait de décider que sa blonde devait le rejoindre, arriva sur les entrefaites. Lorsqu'il vit Mathilde soutenue par William, il s'emporta :

– Alors, William, tu fais la fête avec ma blonde ? Vas-y ne te gêne pas ! Depuis le temps que tu la regardes !

– Arrête de faire l'imbécile. Ta blonde ne se sent pas bien et Joanie veut qu'on l'amène dehors.

– Lâche-la tout de suite ! Si elle ne va pas bien, c'est à moi de m'en occuper, dit-il en saisissant fermement le bras de Mathilde.

– Simon, intervint Laurence, c'est toi qui vas la laisser tranquille ! Tu vois bien qu'elle est blanche comme un drap. On la conduit dehors un point c'est tout.

– Bon, l'amie de service qui s'en mêle. Laisse-moi te mettre à jour : Mathilde c'est MA blonde et c'est MOI qui décide pour elle. Va donc retrouver Antoine, il sera content de pouvoir jouer avec sa petite poupée gonflable.

Insultée, Laurence le gifla si fort qu'il lâcha le bras de Mathilde. William dut interrompre le geste de Simon, qui se préparait à répliquer.

– Toi, ne me touche plus jamais parce que tu vas y goûter même si tu es une fille ! cria Simon à Laurence en guise d'avertissement.

Tout le monde les fixait, se demandant jusqu'où irait l'altercation. Témoin impuissant de toute la scène, Mathilde se mit à pleurer silencieusement. En elle, la panique avait cédé la place à la culpabilité et à la résignation.

– Ça va, les filles. Je vais aller dehors avec mon chum.

Joanie et Laurence hésitèrent, ne sachant pas si elles devaient insister. Mais dans le regard de leur amie, elles devinèrent une peur inexplicable qui les fit reculer. Insister aggraverait l'état de leur amie. Simon et Mathilde quittèrent aussitôt la fête.

Avant même d'être dehors, Mathilde se mit à trembler comme une feuille. Elle savait très bien qu'une crise se préparait. Comme une tornade qu'il lui était impossible d'éviter.

Tout ce qu'elle pouvait faire, c'était tenir le coup jusqu'à ce que le vent se calme. « Garde le silence, ce sera moins long », se dit-elle avant que Simon ne commence ses reproches.

– À quoi tu joues, espèce d'idiote ?! Tu veux vraiment me faire passer pour un imbécile ? Je ne peux pas te laisser seule deux minutes. Je te demande de m'attendre et quand je reviens, tu as disparu. Après avoir crié comme une hystérique avec tes amies, tu t'inventes un malaise pour te retrouver dans les bras de mon ami. De quoi j'ai eu l'air ?! Tous mes amis riaient de moi parce que ma blonde avait l'air d'une vraie folle. Je regrette tellement de t'avoir présentée à eux ! Si tu penses que les gens te trouvaient intéressante, tu te trompes. C'est comme au restaurant, quand tu penses que les clients sont contents de ton service parce qu'ils te sourient. Soit ils te draguent, soit ils ont pitié de toi, voilà tout. Parce que, avouons-le franchement, tu ne peux pas attirer autre chose que la sympathie. Ce soir, j'ai moi-même eu pitié de toi parce que tu te donnais en spectacle.

– Simon, arrête…

– Je n'ai pas l'intention d'arrêter tant que tu n'auras pas compris, cria-t-il à Mathilde en lui prenant le bras pour la secouer.

Puis il lui donna une tape derrière la tête et renchérit :

– Apprends donc à penser, des fois, au lieu de faire ta belle !

– Ouch ! Simon, j'ai compris. Je m'excuse… je m'excuse… je ne le ferai plus ! geignit l'adolescente.

– De toute façon, tu n'en auras plus l'occasion parce que je ne t'amènerai plus avec moi. Plus jamais.

Mathilde pleurait sans pouvoir s'arrêter. Elle boucha ses oreilles de ses mains tremblantes. Tout bas, elle dit :

– Si je suis si idiote que ça, pourquoi est-ce que tu sors avec moi, Simon ?

– Tu veux qu'on se laisse, c'est ça ? Tu as fait tout ça pour que je rompe avec toi et passe pour le gros méchant ?

– Ce n'est pas ça…c'est juste que je ne sais plus quoi faire. Je ne suis jamais assez bien pour toi…

– Tu n'as qu'à faire ce que je te dis et tout sera parfait ! Ce soir, tu as dépassé les bornes. Il n'y a rien qui puisse excuser ton comportement, conclut Simon en tournant le dos à Mathilde pour se diriger vers sa voiture.

– Où tu vas ? Simon !!

– Où veux-tu que j'aille ? Sûrement pas à la fête que tu viens de gâcher ! Je m'en vais chez moi, tout seul, pour avoir la paix de toi, lui cria-t-il en s'éloignant.

– Tu pars comme ça ? Et moi ?

– Je n'ai plus rien à te dire pour le moment. Je te redonnerai des nouvelles quand j'en aurai envie. Dorénavant, tu pourras faire ce que tu veux, je m'en fiche, lança Simon avant de refermer la portière.

Mathilde aurait préféré recevoir un coup de poing au visage plutôt que d'entendre ces paroles empoisonnées de mépris. Comment pouvait-il lui balancer de telles horreurs, alors que quelques heures auparavant, ils faisaient l'amour et il lui disait qu'elle était l'amour de sa vie ? « Est-ce vraiment ça, l'amour ? » se demanda l'adolescente, complètement atterrée.

15
Toute la vérité

Paul et Sylvie ne savaient plus quoi faire pour sortir leur fille de sa torpeur. Même Chloé – qui se fichait pas mal de sa sœur en temps normal – avait été touchée par son état et avait tenté de lui apporter du réconfort. En vain. Mathilde refusait systématiquement d'ouvrir la porte de sa chambre, avait annulé toutes ses heures de travail au restaurant et ne voulait voir personne. Cette situation durait depuis quelques jours et toute la famille, qui ignorait ce qui s'était passé réellement, se sentait impuissante.

– Je n'en peux plus de l'entendre pleurer comme ça, Paul. Je voudrais tellement l'aider, la consoler. Si au moins elle nous laissait entrer.

– Je sais, chérie. Ça ne durera pas. Tôt ou tard elle devra ouvrir la porte et à ce moment-là, nous serons présents pour elle. Pour l'instant, il n'y a rien à faire.

– Tu as raison. Mais j'ai besoin de m'occuper un peu. Si je lui préparais son plat préféré ?

– Bonne idée.

Paul monta ensuite les marches lentement, soupirant devant ce sentiment d'impuissance qui le taraudait. Au deuxième palier, il colla son oreille contre la porte de la chambre de Mathilde et n'entendit rien. Inquiet, il tourna la poignée et fut surpris de constater qu'elle était déverrouillée. Il entra doucement en chuchotant le nom de sa fille. Les rideaux étaient tirés et la chambre plongée dans le noir. Lorsqu'il vit Mathilde qui dormait dans son lit, il ne put s'empêcher de s'asseoir près d'elle et de lui caresser les cheveux. Elle ouvrit à peine les yeux.

– Ta mère cuisine ton plat préféré. Ce serait bien que tu viennes le manger avec nous. Même ta sœur commence à s'ennuyer…

– Est-ce que ça va faire moins mal un jour, papa ? demanda Mathilde.

– Oui, ma chouette. La douleur finit toujours par passer. Sauf qu'en attendant, tu dois tenir le coup.

– Mais comment je fais ça ?

– Il faut continuer à vivre normalement. Garder une certaine routine : manger tous les jours, se doucher, voir ses amies… bref tout ce qui te fait du bien. Mais surtout, tu dois t'entourer de ceux qui t'aiment.

– Et si je n'y arrive pas ?

– Tu peux au moins commencer par essayer, comme en venant manger avec nous ce soir.

– …

– Nous t'aimons, Mathilde, mais nous ne pouvons pas faire plus pour toi. Nous serions vraiment heureux que tu te joignes à nous, insista-t-il, mais c'est à toi de prendre la décision. Tu es une fille intelligente et courageuse, tu peux surmonter cette épreuve.

S'il savait à quel point ses propos étaient faux ! C'était justement parce qu'elle était idiote qu'elle avait tout gâché avec Simon ! Et elle était en train de faire la même chose avec sa famille. Ils faisaient tout pour l'aider tandis qu'elle les repoussait. « IDIOTE ! IDIOTE ! IDIOTE ! » entendait Mathilde dans sa tête.

Avant que son père quitte la chambre, elle puisa dans le peu d'énergie qui lui restait et lui annonça : « Dis à maman que je vais descendre pour le souper. » Son père hocha la tête en signe d'assentiment.

– Prends ton temps. Nous allons t'attendre, ma grande.

Joanie et Laurence se présentèrent chez Mathilde la veille de Noël. Leur amie allait mieux et elle les avait appelées pour les voir. Elles étaient soulagées de la savoir en meilleur état, mais elles n'arrivaient pas à comprendre pourquoi Mathilde pleurait un gars qui avait été aussi détestable avec elle. En frappant à la porte, Joanie prit l'initiative de préciser à Laurence que leur amie était encore fragile et qu'elles ne devaient pas la brusquer en parlant en mal de Simon.

Après que Sylvie leur eut ouvert la porte, les deux amies montèrent l'escalier pour rejoindre la chambre de Mathilde.

– Salut, les filles ! Vous m'avez tellement manqué ! s'exclama Mathilde.

– Toi aussi tu nous as manqué, Mathy, dit Joanie en la serrant dans ses bras.

– Ne nous refais plus le coup du silence, c'est trop pénible, ajouta Laurence.

– Je suis désolée, mais j'étais incapable de vous appeler. Je pensais à vous souvent, je voulais vous parler, mais j'avais comme un vide immense en moi.

– Ce n'est pas grave. On savait que tu finirais par nous rappeler. On était seulement inquiètes, précisa Joanie.

– Je vais mieux, oui. Mais si je vous ai fait venir ici aujourd'hui, c'est pour vous annoncer quelque chose…

– Quoi ? s'enquit Laurence.

– J'ai décidé de me retirer du voyage d'anglais. Je ne suis pas assez bonne. Je n'aurai pas la moyenne et en plus, je serai une nuisance publique, je vais vous poser un tas de questions idiotes et…

– Attends un peu, la coupa Laurence. Es-tu en train de dire que tu ne viendras pas en voyage avec nous ?!

– Ouais… je suis trop nulle.

– Mathy, c'est un voyage entre amies ! On se moque bien que tu sois bonne en anglais ou pas. Tu as une belle personnalité, tu nous fais rire et tu as un bon sens de l'orientation. On va se perdre sans toi ! la taquina gentiment Joanie.

– En as-tu parlé à tes parents ?

– Oui. Ils trouvent que ce n'est pas le bon moment pour prendre une décision aussi importante.

– Eh bien ils ont raison ! lança Joanie. Je ne sais d'où te viennent ces idées noires, mais efface-les tout de suite. On part toutes les trois ou on ne part pas du tout.

– Je ne sais plus… Je ne veux pas gâcher votre voyage. Vous le méritez, pas moi. Simon m'a bien fait comprendre que lorsqu'on parle mal l'anglais, comme moi, on ne voyage pas.

– Il n'est pas gêné ce sale menteur ! explosa Laurence, qui oublia la requête que Joanie lui avait faite en arrivant chez Mathilde.

– Simon n'est pas un menteur. Ne dis pas ça.

– Oui il l'est. Il a raconté à tout le monde qu'Antoine et moi avions fait l'amour.

– Et c'est vrai ? demanda Joanie.

– Non, pas du tout. Antoine m'a juré qu'il n'avait jamais dit ça à personne. À l'inverse, Simon ne cessait de se vanter que vous passiez votre temps à faire l'amour, Mathy.

– Simon n'aurait jamais fait ça ! s'insurgea Mathilde. C'est Antoine qui ment.

– Tu le défends même après tout ce qu'il t'a fait endurer ? continua Laurence.

– Laurence, arrête, intervint Joanie qui voyait Mathilde blêmir.

– Non, Jo, il faut qu'elle sache la vérité sur ce type. D'ailleurs, toi non plus tu ne sais pas tout… Simon a raconté à Antoine que William sortait avec toi seulement pour draguer Mathy en cachette.

– *Mon* William ? s'étouffa Joanie. Mathy, est-ce qu'il t'en avait parlé ?

– Oui.

– Et tu l'as cru ?!

– Non. Je lui répétais que c'était faux, mais il en était tellement convaincu que j'ai cessé de vouloir le convaincre du contraire. J'ai acheté la paix et arrêté de te voir quand tu étais avec William.

– Je n'en crois pas mes oreilles ! Je comprends maintenant pourquoi il a explosé de colère quand il a vu William te prendre par la taille au party chez Justin. Pourquoi est-ce que tu ne m'en as jamais parlé à moi directement ?

– Je ne voulais pas que tu te mettes en colère et risquer de te perdre. Je voulais qu'on reste amies.

– Je ne t'en aurais pas voulu à toi, mais plutôt à Simon ! C'est donc à cause de lui qu'on ne te voyait presque plus ?

– Simon n'aimait pas l'attitude méfiante que tu avais envers lui. Tes questions l'embêtaient. Il m'a demandé de ne plus te voir et de passer mon temps libre avec lui. Je l'aimais et je voulais qu'il soit bien avec moi, alors j'ai accepté même si je n'en avais pas toujours envie.

– Pauvre toi, la plaignit Joanie. Ça n'a pas dû être facile. J'aurais dû écouter ma petite voix qui disait que quelque chose clochait chez Simon.

– Mathy, tu dois nous promettre que tu ne le reverras plus jamais, dit Laurence. Personne n'a le droit de t'éloigner de tes amies.

– Je suis d'accord, renchérit Joanie. Il t'a fait assez de mal comme ça.

Que pouvait rajouter Mathilde à cela sans perdre leur aide ? Qu'en se couchant, la veille, elle avait vu Simon sur le trottoir de l'autre côté de la rue ? Qu'il regardait en direction de sa fenêtre et qu'elle avait eu envie d'aller lui parler, même après toute la peine qu'il lui avait faite ? Non, elle ne pouvait le dire ni à ses amies ni à ses parents. Ils ne pourraient pas comprendre à quel point il lui était difficile de rayer de sa vie son premier amour.

16
Confiance aveugle

Chaque année, le rituel du réveillon était le même. La petite famille de Mathilde se rendait chez la mère de Paul pour y passer une partie du temps des fêtes. Celle-ci habitait en région éloignée dans un chalet luxueux. Durant ces quatre jours, ils se levaient à l'heure qu'ils voulaient, jouaient aux cartes, allaient glisser derrière le chalet ou ne faisaient tout simplement rien. D'autres membres de la famille éloignée se joignaient à eux, dont le cousin de Mathilde et Chloé, Isaac, qui était demeuré au chalet durant deux jours. Mathilde et lui avaient grandi ensemble. Elle adorait Isaac, qui trouvait toujours le bon mot pour faire rire. Un vrai clown, celui-là ! À la fin de la dernière journée, alors qu'ils étaient tous les deux couchés sur le dos dans la neige, Isaac avait évoqué leur enfance passée ensemble et le plus beau souvenir qu'il en avait gardé.

– Tu te souviens, Mathilde, quand tu as grimpé dans l'arbre derrière chez moi pour sauver le chat de la voisine et qu'en redescendant, tu as déchiré ton pantalon ?

– Oui, j'étais tellement gênée ! Tout le monde avait pu voir mes sous-vêtements.

– Moi, tout ce dont je me souviens, c'est que je t'avais trouvée très courageuse.

– C'est vrai ? Et moi qui m'étais trouvée stupide de risquer ma peau pour sauver un chat obèse.

– C'était plus que ça, Mathilde. Tu as grimpé dans cet arbre pour rendre service à la voisine qui pleurait. Tu as toujours été sensible aux autres. Tu es un modèle pour moi.

– Je n'ai rien d'un modèle, Isaac. Si tu me connaissais vraiment, tu ne dirais pas ça. J'ai peur de tout et je rate tout ce que j'entreprends.

– S'il y en a un qui te connaît par cœur, c'est bien moi. On a grandi ensemble ! Tu es rigolote, vaillante, soucieuse des autres, généreuse – peut-être même un peu trop, parfois –, tu comprends tout plus vite que tout le monde et, surtout, tu es aimable. C'est vrai que tu hésites parfois avant d'agir, mais c'est que tu ne te lances pas tête baissée dans n'importe quoi, voilà tout ! C'est loin d'être un défaut.

– Tu penses vraiment tout ce que tu dis ?

– Tu es formidable, cousine, ne laisse personne te dire le contraire. Tu seras toujours la fille géniale avec qui je jouais dans le bac à sable. On se fait une guerre de balles de neige en souvenir du bon vieux temps ?

Isaac ne restait pas sérieux très longtemps. Il disait ce qu'il avait à dire et ensuite, il passait à autre chose. Mais le cousin de Mathilde ne saurait jamais à quel point il venait de lui faire du bien. Des moments de son enfance lui revinrent en mémoire et elle revit la petite fille qu'elle avait été.

L'adolescente aimait ce qu'elle voyait…

– Mathilde, ça va ? demanda Chloé sur le chemin du retour. Tu es si tranquille, je m'inquiète. Habituellement, tu parles sans arrêt en voiture.

– Tout va bien. Je repensais à Isaac. Il est si gentil.

– Moi aussi j'ai bien aimé le revoir. Mais j'ai encore plus aimé retrouver ma petite sœur de bonne humeur.

– Tu me fais des compliments, maintenant ? C'est nouveau ça, se moqua Mathilde.

– Je dois être sous l'emprise de l'esprit des fêtes. Ça me passera… Si tu répètes ce que je viens de te dire à quiconque, je nierai tout. J'ai une réputation à tenir, quand même ! blagua Chloé.

– OK. Alors, je le prends comme un cadeau de Noël.

– Je t'adore, petite sœur, termina Chloé en serrant Mathilde dans ses bras.

La semaine suivante, Rose avait demandé à rencontrer Mathilde.

– Même si tu as refusé d'être en charge de l'ouverture du restaurant, j'aurais une autre proposition à te faire. J'aimerais te montrer à compter la caisse et à faire une partie de la comptabilité.

– La caisse et la comptabilité !?! Mais… Je pensais que je n'étais pas assez bonne et que c'était pour ça que vous ne me l'aviez pas demandé avant !

– Pas du tout. Avec l'achalandage du temps des fêtes, c'était impossible pour moi de te former. Maintenant, le moment est parfait. Dis-moi, Mathilde, pourquoi ne me crois-tu pas quand je te dis que tu es une bonne employée ? Stéphanie t'aurait-elle dit le contraire ?

L'adolescente se sentait en confiance avec Rose. Elle ne se sentait pas jugée. La propriétaire du restaurant la traitait en adulte et, surtout, elle lui disait toujours les choses gentiment et avec tact. Que ce soit positif ou négatif, elle abordait Mathilde avec respect. Auprès de Rose, Mathilde sentait qu'elle pouvait être elle-même.

– Je sais que quelque chose ne va pas, dit sa patronne. Et si tu ne veux pas m'en parler, ça va. Mais ne reste pas seule avec ton problème ou toutes tes questions.

Les yeux de Rose étaient sincères et chaleureux… Mathilde eut soudain envie de tout confier sur sa relation avec Simon. Tout ce qu'elle n'avait pas raconté à ses amies, à ses parents, de peur qu'ils la jugent ou pire, jugent Simon.

Rose écouta attentivement Mathilde. Elle ne broncha pas lorsqu'elle entendit les paroles blessantes que Simon avait pu dire à Mathilde. Pas plus lorsqu'elle comprit comment le garçon avait réussi à lui faire croire qu'elle ne valait rien. Mais surtout, Rose ne la jugea pas. Elle savait à quel point la violence psychologique pouvait détruire quelqu'un…

Mathilde termina son histoire en lui disant à quel point elle se trouvait idiote d'être sortie avec quelqu'un d'aussi méchant. Elle avait cru Simon lorsqu'il lui disait qu'il l'aimait. Elle l'avait aimé plus qu'elle-même. Oui, elle était vraiment idiote.

– Tu n'es pas idiote. Tu as été amoureuse d'un gars qui a su gagner ta confiance. Ce n'est pas ton amour qui n'était pas bien, c'est ce qu'il en a fait.

– Personne ne me comprend. Je sais que ma famille et mes amies veulent mon bien, mais quand tous me disent que je n'aurais pas dû tomber amoureuse de lui, j'ai l'impression que tout ce qui m'arrive est de ma faute… S'il était blessant, il s'excusait et me promettait de ne plus le refaire. Il pleurait même, parfois. Et puis, seul à seule, il était si gentil ! Il me faisait des compliments comme personne. Quand il me prenait dans ses bras, je sentais qu'il m'aimait, Rose, et que mon amour allait réussir à le changer. C'est pour ça que je suis restée si longtemps.

– Simon a des qualités comme tout le monde. Sinon, tu ne l'aurais pas aimé. Mais sa façon d'être en relation amoureuse n'est pas saine.

– Il m'aimait pour vrai, ça je le sais. Je ne suis pas folle…

– Non, tu n'es pas folle. Ce que tu ressentais était réel.

– Il avait peur de me perdre. C'était pour ça qu'il ne voulait pas que je parle aux autres gars. Lorsque je l'ai connu, il semblait si confiant que je me suis dit : « Wow ! Chanceuse ! Il t'a choisie, toi ! » J'étais touchée.

– Tu sais, Mathilde, Simon ne t'a pas menti quand il disait t'aimer. Sauf que pour lui, amour égale possession. Tu es devenue son trophée. Il était prêt à tout pour ne pas te perdre. C'est pour ça qu'il te contrôlait, te surveillait, t'isolait de tes amies. Il voulait s'assurer que personne ne te dise qu'il t'aimait mal. Il te voulait à lui tout seul.

– C'est vrai que je me sentais parfois en prison… Lorsqu'il arrivait chez moi par surprise ou qu'il m'appelait, je sentais une tension en moi. Je *voulais* être bien, mais je n'y parvenais pas. Un seul regard ou un soupir de sa part et je pensais aussitôt que j'avais fait une erreur et qu'il me ferait des reproches. Alors j'ai décidé de faire ce qu'il me demandait. Toujours. Je pensais que ce serait plus facile de le satisfaire. Finalement, ce n'était jamais assez.

– C'était sa manière de dresser les barreaux de ta prison. Il voulait que tu deviennes dépendante de lui pour ne pas le quitter. Si tu avais eu conscience de toutes tes qualités, tu aurais pu le quitter et ça, c'est la dernière chose qu'il souhaitait. Tu étais prisonnière de ton insécurité, insécurité qu'il avait lui-même installée. Mais tu n'es pas un objet, Mathilde, et tu n'appartiens qu'à toi-même. La seule personne que tu dois aimer plus que tout c'est toi, pas lui.

– Est-ce que c'est normal que je l'aime encore ?

– On ne peut pas arrêter d'aimer quelqu'un comme on fait des arrêts en voiture. On ne contrôle pas nos sentiments, on peut seulement attendre qu'ils s'estompent. Ce sont les comportements de Simon que tu n'aimais pas. Lui, tu l'aimais. C'est pour ça que tu espères encore t'être trompée sur son compte.

– Les autres me disent que je serais folle de reprendre avec lui. Je ne leur ai pas dit qu'il vient tous les soirs devant ma fenêtre. Peut-être qu'il a compris qu'il doit être plus gentil avec moi ?

– Tant que tu auras espoir qu'il change, tu continueras de l'aimer. Malheureusement, je ne pense pas qu'il ait changé en si peu de temps, Mathilde. En retournant auprès de lui, tu croirais que c'est le cas, au début, parce qu'il redeviendrait celui dont tu es tombée amoureuse. Mais ensuite, ses comportements recommenceront comme avant. L'amour n'est pas une prison, Mathilde, c'est un sentiment léger qui nous donne l'impression d'être en vacances. L'amour, c'est la liberté d'être aimé pour qui on est, pas pour ce que l'autre veut qu'on soit.

– Alors, vous pensez vraiment qu'il ne changera pas ?

– J'en suis certaine. J'ai aimé un homme comme ton Simon, tu sais. J'étais plus vieille que toi, mais tout aussi amoureuse. Je l'ai fréquenté pendant plusieurs années et j'ai rompu au moins trois fois avant de le quitter pour de bon. Je peux te dire que malgré toutes les promesses qu'il m'a faites, malgré toutes les chances que je lui ai laissées, il n'a jamais changé. Il disait que c'était moi qui avais un problème et que lui était parfait. J'ai tout essayé pour sauver notre couple, jusqu'à devenir enceinte… Mais au contraire, la situation s'est détériorée. Le jour où il m'a poussée dans l'escalier et que j'ai perdu mon bébé, j'ai décidé de le quitter définitivement. C'en était trop. Il avait tué mon enfant et c'était impardonnable.

– C'est pour ça que vous me comprenez si bien… soupira l'adolescente.

– Oui. Et je veux que tu me promettes une chose : si tu décides de revoir Simon, j'aimerais que tu me le dises, d'accord ? Tu as le droit de faire les choix que tu veux, mais j'aimerais être là pour te conseiller.

– Promis, répondit Mathilde, soulagée d'avoir trouvé une alliée qui la comprenne vraiment.

– Je suis contente que tu te sois confiée à moi. Si je peux faire quoi que ce soit d'autre, n'hésite pas.

– Merci, Rose. Ça m'a fait du bien d'en parler à quelqu'un.

– Si mon expérience peut servir à d'autres, tant mieux. En attendant, pense à ma proposition pour la caisse.

– Je n'ai pas besoin d'y penser. J'accepte. Et même pour l'ouverture !

Seule dans sa chambre, Mathilde repensait à tout ce que Rose lui avait dit. Elle n'était ni folle ni idiote d'avoir aimé Simon. Elle avait cru ses promesses et tenté de le changer. Mais elle n'était pas folle. Et Simon n'était pas que méchant. Ses qualités étaient vraies. Malheureusement, il était incapable d'aimer sainement. Mathilde pouvait enfin se pardonner de l'avoir aimé. Elle s'en était tellement voulu de lui avoir ouvert son cœur, de l'avoir laissé lui faire du mal ! Ce n'était pas par manque d'intelligence, non, c'était plutôt une confiance aveugle. Faire confiance à l'autre plus qu'à soi-même, voilà le problème.

Aimer à n'importe quel prix, même au prix de sa santé ? « Plus jamais ! » se promit Mathilde.

17
Rendez-vous clandestin

Pour souligner la fin de l'année, la salle de cinéma avait ajouté à sa programmation une projection à vingt-trois heures. Les trois grandes amies avaient saisi cette occasion pour passer ensemble le 30 décembre, et ce, d'une façon différente. Le film terminé, elles se rendaient chez Laurence pour y passer la nuit.

– Je comprends maintenant pourquoi la programmation régulière termine tôt… J'ai dormi durant les cinquante dernières minutes ! s'exaspéra Laurence.

– Pas moi, répondit Joanie. Et toi Mathy ?

– Mmhum… Le film était bien, répondit-elle distraitement.

– Youhou ! lança Laurence.

– Quoi ?

– On ne parlait pas du film… Tu ne nous écoutais pas. Est-ce qu'on peut savoir où se trouve ton esprit à l'instant ? demanda Laurence.

– Désolée, les filles. À vrai dire, je repensais à l'avant-film.

– On aurait dû se douter que croiser Simon en arrivant allait te déranger.

– Qu'est-ce que ça t'a fait de le revoir ? s'enquit Joanie doucement.

– Moins mal que j'aurais pensé. Presque rien, en fait…

– C'est pour ça que tu y penses encore ? rétorqua Laurence. Sois honnête avec nous. On est tes amies, pas tes parents.

– Ce qui me dérange, c'est que ce n'est pas la première fois que je le croise.

– Tu l'as revu ? s'exclamèrent en même temps Laurence et Joanie.

– Oui, mais je ne lui ai pas parlé. Il est souvent au même endroit que moi. La première fois, c'était au centre commercial. Ensuite, il est venu au resto. Et ce soir il était au cinéma. Il lui est même arrivé de stationner sa voiture dans ma rue, la nuit.

– Et tu penses vraiment que c'est le hasard ? émit Laurence. Tu vois bien qu'il te surveille !

– Tu lui prêtes toujours de mauvaises intentions, Lau. Il a le droit de circuler où il veut. On a des points d'intérêt communs, alors c'est un peu normal qu'on se croise de temps en temps. Ce n'est pas parce qu'on n'est plus ensemble qu'il doit changer ses habitudes de vie, objecta froidement Mathilde.

Joanie et Laurence restèrent muettes quelques secondes, abasourdies par sa réponse. Puis Joanie tenta de dissiper le malaise.

– On est désolées Mathy, on voulait simplement te donner notre avis en tant qu'amies.

– Si vous voulez être de vraies amies, arrêtez de me parler de lui, s'il vous plaît. Que ce soit en bien ou en mal. J'aimerais ne plus rien entendre à son sujet.

– D'accord, on fera attention, répondit Laurence. Si c'est ce que tu veux, plus de Simon dans nos discussions.

– Merci, les filles.

– Est-ce que vous êtes prêtes à continuer la soirée chez moi ? Pyjama party à l'horaire ! s'exclama Laurence.

– Oui, approuva Joanie, tout est dans mon sac. Et toi, Mathy ?

– J'ai oublié mon sac au resto tout à l'heure. J'ai appelé Rose et elle l'a rangé dans la remise extérieure. On passe le prendre et ensuite on file chez Lau, ça va ?

La bonne humeur de Laurence et de Joanie vint à bout des préoccupations de Mathilde concernant Simon. Elle oublia sa rencontre inopinée avec son ex et sa petite dispute avec ses amies. Arrivées au restaurant, Joanie et Laurence restèrent sur le trottoir pendant que Mathilde allait chercher son sac. Seule la lumière des lampadaires éclairait faiblement la cour arrière de la bâtisse.

Son sac était bel et bien dans la remise, comme le lui avait promis Rose. Elle le saisit et referma la porte en criant aux filles « Je l'ai ! ». Lorsqu'elle se retourna, une silhouette lui bloqua le chemin. Surprise, elle figea net et son cœur accéléra. Elle s'apprêtait à crier quand elle reconnut l'individu.

– Simon ? Es-tu fou ! Tu as failli me faire mourir de peur ! s'exclama-t-elle. Qu'est-ce que tu fais ici ? Tu me suis ?

– Depuis que je t'ai vue tantôt, au cinéma, je n'arrête pas de me dire qu'il faut se revoir. On doit parler de ce qui est arrivé.

– Je ne veux plus te parler, Simon. C'est terminé, nous deux.

– J'ai été un idiot, Mathilde. Je suis un moins que rien. Laisse-moi te montrer à quel point je regrette.

– Je ne sais pas si c'est une bonne idée… Ce qui est fait est fait.

– Pour une autre, je ne prendrais pas le temps de m'excuser. Mais toi, tu mérites mes excuses, mon amour…

Au loin, Joanie cria : « C'est long, Mathy, qu'est-ce que tu fiches ? On a froid, nous deux ! »

– Je dois y aller, les filles m'attendent.

– Moi, ça fait une éternité que j'attends de te voir, de te parler. Donne-moi une petite chance. Tu me dois bien ça, insista-t-il en lui prenant la main.

À son contact, tous les souvenirs refoulés refirent surface. Mathilde ne put s'empêcher de frissonner. Les beaux moments passés ensemble… Leurs fous rires… L'intimité qu'ils avaient partagée… Les efforts de Simon pour changer… La jeune femme se sentit coupable de ne pas lui donner une dernière chance. Il lui en avait tant donné lorsqu'ils étaient ensemble.

– D'accord, céda-t-elle, hésitante. Mais seulement quelques minutes. Après, tu me laisses tranquille. Demain, le resto ouvre à midi parce que c'est le 31 décembre. Viens à dix heures, j'y serai, seule.

– Tu me rends heureux, tu ne peux pas savoir comment ! s'exclama Simon en lui embrassant la main.

Il s'éloigna ensuite d'un pas léger.

Mathilde venait-elle de rêver ? Était-elle simplement engourdie par le froid ou venait-elle vraiment d'accepter un rendez-vous avec Simon ? De retour aux côtés de ses amies, elle choisit de garder le silence. Elle ne voulait pas les alarmer.

– Je m'excuse. Le sac était au fond de la remise, mentit-elle.

– L'important c'est que tu l'aies récupéré. Allez, on se dépêche car sinon, je risque de perdre le bout de mes orteils et ce n'est pas très pratique pour se mettre du vernis à ongles ! blagua Laurence.

La nuit avait été courte pour les trois filles. Elles avaient placoté en sirotant un chocolat chaud pendant une partie de la nuit. Elles avaient fait le point sur leur année et parlé de ce qu'elles désiraient pour celle à venir. Évidemment, la majorité de leurs préoccupations concernait leurs amours. Mais elles avaient aussi beaucoup parlé du voyage.

– Alors, Mathy, est-ce que tu as changé d'idée pour le voyage ? Tu ne viens toujours pas ? Tu sais, si tu ne viens pas, c'est comme si tu laissais Simon gagner…

« Ah, ça non ! » pensa Mathilde. Pour elle, cela avait été difficile d'oublier toutes les paroles blessantes qu'il lui avait dites. Il les avait répétées si souvent. De telles paroles font des ravages. Elles laissent des traces, des égratignures qui sont longues à guérir… Chaque jour, lentement, elle s'appliquait à les effacer une à une. Elle y était parvenue pour certaines. Mais pour d'autres, cela prendrait encore du temps… Non, Mathilde ne laisserait pas Simon gagner cette fois.

– Si vous dites que je ne vous gênerai pas, je veux bien y aller. Mais…

– YÉÉÉ !!! Il n'y a pas de « mais » qui tienne, la coupa Laurence.

– Je suis super contente ! s'exclama Joanie. Ce sera LE voyage de l'année, les filles !!!

Émue devant la réaction enthousiaste de ses amies, Mathilde pleura doucement. Pour la première fois depuis plusieurs mois, on l'acceptait comme elle était, sans critiques, sans reproches. Même si elle n'était pas parfaite, on avait envie de sa présence. En ce 31 décembre, l'amitié de Joanie et Laurence était la plus belle chose du monde pour l'adolescente.

Lorsque la mère de Laurence vint les réveiller à neuf heures, les trois amies venaient tout juste de poser la tête sur l'oreiller.

– Déjà neuf heures ! Je dois être au resto, moi ! dit Mathilde, presque paniquée.

– Calme-toi. Il ouvre seulement à midi, la rassura Laurence.

– Je n'aime pas arriver trop tard. Je veux être certaine d'avoir le temps de tout faire comme il faut, rétorqua-t-elle en se précipitant vers la salle de bains.

– Tu es vraiment stressée, Mathy. Tu devrais apprendre à te relaxer, lui cria Joanie alors que son amie fermait la porte derrière elle.

– Promis, mais seulement l'an prochain !

Mathilde arriva au restaurant à neuf heures cinquante. Elle franchit la porte avec une boule dans l'estomac. C'était la deuxième fois qu'elle s'occupait seule de l'ouverture. Une partie d'elle demeurait anxieuse même si tout s'était bien déroulé la première fois. En plus, aujourd'hui, une préoccupation supplémentaire s'ajoutait : Simon. « Tout va bien aller, c'est seulement pour des excuses, rien de plus », se répétait la jeune femme pour se convaincre. Elle avait *besoin* de comprendre ce qui s'était passé. Elle voulait entendre la version de Simon pour effacer tous les scénarios qu'elle s'était faits.

L'adolescente avait laissé la pancarte « fermé » et la porte verrouillée si bien que lorsqu'elle entendit frapper, elle sut que c'était Simon. Le doute s'installa en elle : était-ce une bonne idée de le laisser entrer ? Le visage de Simon à travers la fenêtre fit disparaître tous ses doutes. Elle le fit entrer rapidement, en s'assurant que personne ne les avait vus.

– Viens, on va aller dans le bureau de Rose. On sera plus tranquilles, dit Mathilde en prenant les devants.

Dans le bureau, elle sentit sa raison se faufiler derrière la passion. Elle se raisonna aussitôt : « Tu écoutes ce qu'il a à dire et tu lui demandes de partir, un point c'est tout. » Pour garder un certain contrôle d'elle-même, elle resta debout devant le bureau de Rose. Simon s'assit sur la chaise devant elle. Le dos courbé, l'air coupable, il prit son courage à deux mains et se jeta à l'eau :

– Je ne sais pas par où commencer…

– Peut-être par des excuses, se surprit-elle à dire d'une voix ferme.

– Tu sais, faire des excuses, ce n'est pas dans mes habitudes. De toute façon, je ne regrette jamais les gestes que je fais. Mais depuis que tu n'es plus là, je ne pense qu'à toi. J'étais si fâché de te voir dans les bras de William que j'ai perdu le contrôle. La douleur que j'ai ressentie m'a fait perdre la tête. Tu sais que je t'aime et que je ne te ferais jamais de mal.

– Comment as-tu pu partir et me laisser seule dans la rue ? J'ai dû rentrer chez moi en taxi.

– Je ne savais plus quoi faire. J'étais hors de moi. Je n'avais qu'une envie, celle de partir au plus vite parce que j'avais peur que tu m'avoues aimer William, admit Simon en étouffant un sanglot.

– Depuis le début je te répète que William ne m'intéresse pas ! Il n'y avait que toi dans mon cœur ! Tu n'avais qu'à me croire. Regarde où cette jalousie t'a mené.

– Je ne suis pas jaloux. Je ne fais pas confiance aux autres gars. Pour la première fois, je sortais avec une fille super. Je t'aime vraiment. C'est trop stupide que ça se termine comme ça, nous deux. Je t'aime, mon amour !

– Tu m'as fait mal, Simon. Moi aussi je t'aimais…

– Ne parle pas au passé ! l'interrompit Simon. Notre amour est toujours présent. Je veux que tu me donnes une deuxième chance.

– Tu voudrais qu'on revienne ensemble après tout ça ?

– Oui. J'ai besoin de toi dans ma vie. Ne m'abandonne pas maintenant. Nous nous aimons encore. Je le sens. Le courant passe toujours. Nous avons vécu de si beaux moments ensemble. Tu ne pourras jamais revivre quelque chose d'aussi fort avec un autre gars. Personne ne pourra t'aimer plus que moi. Nous deux, ce n'est pas une amourette de passage, c'est pour la vie.

Simon pencha la tête et ses épaules tremblèrent. Son souffle devint saccadé. Lorsqu'il se redressa, des larmes coulaient sur ses joues. Mathilde avait de plus en plus de difficulté à rester impassible. Elle se sentait coupable qu'il ait autant de peine. Il était là, devant elle, à lui dire tout ce qu'elle avait rêvé d'entendre pour que leur histoire recommence à zéro. Il lui demandait pardon. Pour un gars aussi orgueilleux, ce devait être difficile. Il avait compris et changerait. Il s'était écoulé deux semaines depuis leur rupture et il était venu presque tous les soirs sous sa fenêtre. Il semblait sincère… Si elle n'essayait pas, elle ne le saurait jamais.

La pitié qu'elle ressentit pour lui et l'espoir que ses paroles soient vraies la firent flancher. Elle avança et se pencha pour l'enlacer. Il mit sa tête sur sa poitrine et ses sanglots reprirent de plus belle.

– Simon, c'est trop difficile de te voir pleurer. Arrête, s'il te plaît… Pour être honnête avec toi, je ne sais pas si je me sens capable de recommencer. Ma confiance est ébranlée.

– Donne-moi du temps. Je vais changer. Je vais regagner ta confiance, affirma-t-il en regardant Mathilde dans les yeux.

Simon se leva et approcha sa bouche de la sienne. Mathilde sentit ses jambes faiblir et son esprit s'embrouiller. « Et, si c'était vrai ? » Elle vacilla dans la brume des souvenirs et des promesses. Les paroles tendres qu'il souffla à son oreille firent tomber ses dernières barrières et elle se laissa aller. Pendant qu'il l'embrassait, il la caressa comme il savait si bien le faire. Il chuchota : « Nous sommes faits l'un pour l'autre. Regarde comment nos corps vibrent ensemble. » Mathilde ne pouvait pas le contredire. Elle l'aimait encore et son corps le désirait âprement. Cependant, à travers un bref moment de lucidité, elle hésita :

– Je ne sais pas si nous devrions, Simon…

– Chut ! Inutile de parler. Laisse-moi te convaincre, te montrer que notre amour est plus fort que tout. Laisse-moi te faire l'amour une dernière fois. Après, si c'est vraiment ce que tu veux, je te laisse tranquille. Je te le promets.

Simon étendit son manteau sur le sol en guise de couverture. Il embrassa Mathilde si langoureusement, si amoureusement qu'elle eut l'impression de faire l'amour avec lui pour la première fois. Le corps de la jeune fille retrouvait le parfum si doux de l'amour, elle retrouvait ce Simon dont elle était tombée amoureuse. Le Simon attentionné, calme et rassurant. Il existait ce Simon. Elle en avait la preuve. Contre toute attente, il était de retour. C'était l'autre partie de lui. Son bon côté. Pffitt ! Envolés les comportements blessants qu'elle n'aimait pas. Il avait compris qu'il devait changer.

Leur extase dura le temps d'une danse, où valsèrent leurs mains et leurs bouches jusqu'à ce que la musique de leurs soupirs s'arrête. Assouvis et sous l'effet de leur réconciliation, Simon dit :

– C'était merveilleux, ma belle. Je suis heureux qu'on soit de nouveau en couple.

– Simon, je n'ai jamais dit qu'on revenait ensemble. J'ai besoin de réfléchir une journée ou deux.

– Mais on vient de faire l'amour ! Je pensais que c'était comme un oui. Je t'aime et tu m'aimes. À quoi veux-tu réfléchir ?

– Je veux m'assurer que je suis prête, voilà tout. Je sais qu'on s'aime mais…

– Il y a quelqu'un d'autre ?

– Non, pas du tout. Je dois prendre le temps de l'annoncer à mes amies et à mes parents. Ils m'ont beaucoup aidée après notre rupture…

– Ton père était sûrement content que tout soit terminé entre nous. Et tes amies, elles devaient se réjouir de t'avoir pour elles toutes seules. Finalement, le seul qui était triste c'était moi… Ne les laisse pas nous séparer. On vient de faire l'amour comme jamais, n'est-ce pas la plus belle preuve d'amour ?

– Il n'y a pas que le sexe, Simon. Il y a toute la peine que j'ai eue pendant des semaines, toutes les crises de jalousie que tu m'as faites et tous les efforts que ça m'a demandés pour surmonter notre rupture. Donne-moi du temps, quelques jours seulement.

Le téléphone du restaurant sonna. Ce devait être Rose qui voulait s'assurer que tout allait bien. Elle sentait Mathilde un peu inquiète de se retrouver seule au restaurant et elle la contactait pour lui souhaiter une bonne journée et répondre à ses questions. L'adolescente savait qu'elle devait répondre pour ne pas inquiéter sa patronne. Elle enfila son chandail en vitesse et répondit nerveusement : « Resto Chez Rose… je savais que c'était vous… Oui, tout se passe bien. Merci d'avoir appelé… À demain. » Lorsqu'elle raccrocha et se tourna vers Simon, il s'était rhabillé.

– Tu t'es moquée de moi, Mathilde. Depuis le début, tu savais que tu ne me donnerais pas de deuxième chance. Ton idée était faite et tu voulais seulement m'humilier, me faire payer pour ce que tu me reproches d'avoir fait.

– Non, Simon, ce n'est pas vrai ! Je te demande seulement un peu de temps pour…

– Quand on aime vraiment quelqu'un, on n'a pas besoin de temps pour le savoir, l'interrompit-il. Tu as écouté tout le monde te décourager de me donner une autre chance. Tu es toujours aussi influençable. Tu n'as aucune personnalité. Si tu avais eu un peu de courage, tu m'aurais défendu.

– Tu dis n'importe quoi !

– Non, je sais tout Mathilde. Tu oublies que nous avons des amis communs. Même quand tu ne me vois pas, je suis là. Je sais ce que tu fais, ce que tu dis, où tu es et avec qui. Je sais tout sur toi. Tu viens de te payer ma tête et ça n'arrivera plus. C'est la dernière fois que tu me voyais te supplier. À partir de maintenant, tu es pour moi une menteuse et une profiteuse.

Mathilde n'en pouvait plus des paroles blessantes et des accusations de Simon. Une colère jusque-là inconnue explosa en elle. D'une voix rageuse, elle cria :

– Va-t'en et ne reviens plus jamais ! C'est toi le menteur ! C'est toi le méchant, pas moi. Je n'en peux plus de tes bêtises ! Je ne veux plus jamais te revoir ! Je te déteste !!!

L'adolescente lui lança le crayon qu'elle avait sous la main. Simon l'esquiva et quitta la pièce en riant.

– Pfff ! Tu n'es même pas capable de viser comme il faut ! Tu es vraiment une bonne à rien. Et une enragée, par-dessus le marché. On se reverra, ma belle, parce que tu es loin d'en avoir fini avec moi. Je vais tout te faire perdre et tu vas découvrir ce que c'est que d'avoir vraiment mal…

Dépassée, décontenancée, Mathilde se mit à faire les cent pas dans le bureau. Elle s'en voulait de l'avoir cru, d'avoir accepté qu'il vienne s'excuser, de lui avoir ouvert la porte et d'avoir fait l'amour avec lui. Tout le monde l'avait prévenue et elle était quand même tombée dans le panneau.

Elle aurait pu continuer pendant des heures à faire son mea-culpa, mais le temps passait et elle devait ouvrir le restaurant. Elle ramassa ses vêtements par terre et chercha en vain sa petite culotte. Elle se dit qu'elle pourrait la chercher plus longuement après la fermeture. De toute façon, Rose ne viendrait pas dans son bureau aujourd'hui.

Une heure après l'ouverture, un client revint de la salle de toilette des hommes et lui dit :

– Mademoiselle, il y a un sous-vêtement pour femme qui bouche l'urinoir. Ça risque de déborder.

– Merci, monsieur. On s'en occupe tout de suite, s'excusa Mathilde en rougissant.

Elle savait que c'était sa culotte. Elle n'en revenait pas. Comment Simon avait-il pu lui faire un coup pareil ?! Il la lui avait probablement volée pendant qu'elle parlait au téléphone avec Rose. Il l'avait mise à cet endroit juste avant de partir, pour la punir. Le sanglot qu'elle ravala eut un goût amer. Cette fois, c'en était trop. Elle se promit que c'était la dernière fois que Simon l'humiliait. Il ne changerait jamais. Maintenant, elle en était convaincue.

18
Comme un mauvais rêve

La soirée du 31 décembre chez Paul et Sylvie se déroulait à merveille. La mère de Mathilde avait invité ses parents et ses sœurs à venir célébrer l'arrivée de la nouvelle année avec eux. Jusqu'à maintenant, tout le monde semblait s'amuser sur les airs de chansons festives traditionnelles. Tout le monde sauf Mathilde, qui restait en retrait dans un coin du salon. Sylvie se dit que son après-midi au travail avait dû la fatiguer. Elle demanda à Chloé d'aller voir sa sœur pour s'assurer que tout allait bien. Cette dernière ne se fit pas prier, trop heureuse de pouvoir fausser compagnie à tante Jeannine, qui lui racontait la même histoire pour la troisième fois. Elle arriva près de sa sœur juste au moment où le compte à rebours commençait.

« 10-9-8-7-6-5-4-3-2-1, BONNE ANNÉE ! » s'exclamèrent tous ceux et celles présents en portant un toast. Les deux sœurs en profitèrent pour s'échanger les vœux usuels.

– Chloé, je te souhaite une année tripante, avec tout ce que tu désires pour être heureuse, dont ta propre voiture.

– Merci, petite sœur. Moi, je te souhaite de trouver un gars qui soit gentil avec toi parce que tu es extraordinaire. Je ne veux plus que quelqu'un te fasse de la peine, sinon il va avoir affaire à moi ! lança Chloé sur un ton menaçant.

Mathilde sauta au cou de sa sœur et toutes les deux s'enlacèrent de longues minutes.

Les invités quittèrent la maison aux petites heures du matin. Dans son lit, Mathilde repensait à sa confrontation avec Simon et à l'histoire de Rose qui avait perdu son bébé. Elle aussi avait cru que son chum changerait. L'adolescente en vint à la conclusion qu'elle ne devait plus jamais revoir Simon. Chaque fois, il arrivait à la faire changer d'idée. Pour l'instant, c'était la seule solution : couper tout contact de près ou de loin. Dans sa tête, sa relation amoureuse désastreuse faisait maintenant partie des « mauvais choix de l'an passé ». Elle voulait dorénavant mettre tous ses espoirs dans cette nouvelle année qui commençait.

Perdue dans ses pensées, Mathilde entendit frapper à la porte de sa chambre. Elle fit semblant de dormir. Sylvie comprit le petit jeu de sa fille et n'insista pas. Elle lui murmura simplement : « Je ne sais pas ce qui s'est passé aujourd'hui pour que tu sois si préoccupée, mais je tiens à te dire que je suis là si tu as besoin. Bonne nuit, ma grande. Je t'aime. »

Comme Mathilde aurait aimé lui dire à quel point elle était inquiète de voir ce que Simon allait faire pour la punir. Une partie d'elle appréhendait l'année à venir parce qu'elle sentait qu'elle n'en avait pas fini avec lui. Il lui avait juré qu'il lui ferait tout perdre.

Elle ne pouvait pas en parler avec sa mère, car elle serait obligée de lui avouer qu'elle avait revu Simon. Ses parents seraient déçus et elle voulait qu'ils restent fiers d'elle. À qui pouvait-elle se confier ? Rose ! Après tout, Mathilde lui avait fait une promesse. Cette pensée calma la jeune fille, qui finit par s'endormir.

Les vacances des fêtes tiraient à leur fin. Alors que Joanie profitait des derniers jours de congé pour passer du temps avec William, Laurence et Mathilde décidèrent d'aller au restaurant avec Antoine. Lui et Laurence avaient repris contact. Ils se voyaient de temps en temps, entre amis, et cela leur convenait très bien.

Au restaurant Chez Rose, l'ambiance était conviviale et relax. Un des nouveaux amis d'Antoine, Marc, s'était joint à eux. Il trouvait Laurence à son goût. Il aurait pu être attiré par Mathilde, mais quand il avait su qu'il s'agissait de l'ex-copine de Simon, il s'était tourné vers Laurence. Marc connaissait bien Simon et il ne voulait pas d'ennui.

Après avoir mangé, les garçons proposèrent d'aller jouer au billard pour poursuivre la soirée. Il était encore tôt et les filles disposaient de deux heures avant leur couvre-feu. Elles acceptèrent avec plaisir. Laurence y voyait l'occasion de mieux connaître Marc, qu'elle sentait intéressé, tandis que Mathilde se sentait le cœur à la fête et voulait en profiter.

Depuis qu'elle avait mis fin officiellement à sa relation avec Simon et qu'elle s'était confiée à Rose quant à leur rencontre clandestine au restaurant, elle se sentait libérée et légère. Les paroles réconfortantes de sa patronne l'avaient beaucoup apaisée :

– Tu n'es pas idiote d'avoir accepté de le revoir, tu as seulement cru en son repentir. Tu voulais le voir pour comprendre. Lui voulait te voir pour te convaincre de le reprendre. Pour une même rencontre, vos objectifs étaient différents. Maintenant, tu sais qu'il n'a pas changé et tu peux continuer ta route. Parfois, il faut aller au bout de quelque chose pour réussir ensuite à fermer la porte au passé et l'ouvrir sur l'avenir. Sois forte et s'il revient à la charge, garde tes distances.

Rose avait eu raison de mettre Mathilde en garde, car Simon tenta à plusieurs reprises de la joindre. Il avait trouvé son nouveau numéro de cellulaire et lui avait laissé une dizaine de messages textes d'excuses. L'adolescente ne savait pas comment il avait obtenu cette information et cela lui confirma qu'elle devait se méfier de lui. Les paroles de Simon lui revenaient souvent en tête : « Je sais tout ce que tu fais. » Quel horrible sentiment que de se sentir épier ! Mais cette fois, elle ne se laisserait pas manipuler. Elle avait compris que ce genre de comportement était loin d'être une preuve d'amour et qu'il s'agissait plutôt de harcèlement. Mathilde bloqua donc son numéro et effaça les messages sans même considérer la possibilité de le rappeler.

La voix de Laurence la tira de sa rêverie : « Mathy, qu'est-ce que tu fais ? On t'attend pour s'en aller. » Elle alla chercher son manteau au vestiaire et pendant qu'elle enfilait sa deuxième manche, un groupe de gars entra dans le restaurant. Ils parlaient fort et attiraient l'attention. Mathilde reconnut aussitôt Simon. Il était accompagné d'une fille aux longs cheveux noirs, très sexy. « En plein son genre de fille ! » se dit-elle. Quant à Simon, il n'eut pas l'air surpris de voir Mathilde et il la fixa intensément du regard.

L'adolescente se dépêcha de prendre son foulard et sortit rejoindre les autres dehors. Antoine s'exclama :

– Qu'est-ce qu'il fait ici, lui ? Il devait passer la soirée avec sa famille… Je suis désolé, Mathilde, avoir su on serait allés ailleurs.

– Ce n'est pas de ta faute. Allez, partons. J'ai envie de passer une belle soirée.

À la salle de billard, l'ambiance se fit plus suave et Mathilde fut des plus surprises quand Antoine l'aborda.

– Mathy, je dois t'avouer que je te trouve très belle. Je ne te l'ai jamais dit parce que tu sortais avec Simon, mais maintenant que tu es seule, j'aimerais bien apprendre à mieux te connaître. C'est toujours agréable d'être en ta compagnie…

– Antoine, je ne suis pas prête à fréquenter quelqu'un pour le moment. Je suis désolée.

– Alors je serai là uniquement pour te faire rire !

Après une heure de conversations et de fous rires, Mathilde chercha Laurence pour prévoir le moment du départ. Elle la trouva près de la sortie avec Marc. Tous deux semblaient en grande discussion. On pouvait facilement déchiffrer leur langage non verbal, qui signifiait : « Ne pas déranger ». Mathilde rebroussa chemin et tomba face à face avec Simon et sa nouvelle flamme.

Elle refusait de croire qu'il soit encore là : après le resto, la rue devant chez elle, le cinéma, il était encore là. Écœurée de son harcèlement et de sa présence constante, elle lui lança spontanément :

– Qu'est-ce que tu fais ici ? J'en ai assez que tu me suives partout ! Laisse-moi tranquille !

– C'est un pays libre et j'ai le droit d'être où je veux, quand je veux, rétorqua Simon sur un ton cassant.

Mathilde entendit la fille qui l'accompagnait lui demander :

– C'est qui cette fille ?

– C'est mon ex. Elle est encore accro à moi et pense que je la suis partout. Elle avait un œil sur mon meilleur ami pendant qu'elle sortait avec moi, alors je l'ai laissée. C'est terminé et madame n'est pas contente. Ne t'en occupe pas.

Un souvenir revint en mémoire à Mathilde : l'épisode du restaurant, au début de leurs fréquentations, lorsque l'ancienne copine de Simon lui avait fait le même reproche. La réponse de celui-ci avait été identique ! Donc, ce qu'elle avait entendu ce soir-là dans les toilettes était vrai. Aujourd'hui, c'était elle qui passait pour une hystérique.

Sachant qu'il continuerait de la dénigrer, Mathilde préféra s'en aller le plus vite possible. Elle tremblait de l'intérieur et sentait la colère la gagner. Elle ne voulait pas donner raison à Simon en lui faisant une scène, car il pourrait ensuite s'en servir contre elle : « Voyez comme j'avais raison, elle est folle ! »

Ne voulant pas déranger Laurence et refusant de causer des problèmes à Antoine, elle appela son père pour qu'il vienne la chercher rapidement. Elle lui indiqua où elle se trouvait et lui dit qu'elle l'attendrait dehors.

L'adolescente avait besoin d'air et, sous l'effet de l'affolement, elle ne pensa pas à informer qui que ce soit de son départ. Une fois à l'extérieur, elle prit une longue inspiration, soulagée de sentir le danger loin d'elle. Mathilde rassemblait ses idées et tentait de retrouver son calme quand quelqu'un lui tapa sur l'épaule.

– Alors, on rentre tôt ce soir, beauté, lança une voix trop familière.

– Je suis fatiguée.

– Ce n'est pas plutôt parce que tu trouves difficile de me voir avec Marianne ? la nargua Simon.

– Non. Tu peux même aller la retrouver, elle doit te chercher.

– Je lui ai dit que j'avais oublié mon porte-monnaie dans la voiture. Elle m'attend bien sagement avec les autres. Avoue que tu es jalouse d'elle…

– Pas du tout. Je ne t'aime plus, Simon. Tu peux être en couple avec qui tu veux, je m'en fiche. Laisse-moi tranquille, maintenant. Mon père s'en vient.

– Papa vient chercher sa petite fille chérie ? se moqua-t-il.

– Tu empestes l'alcool. Va-t'en Simon, dit-elle d'une voix légèrement tremblante.

Mathilde commençait à avoir peur. Simon posait sur elle un regard perçant. Avec ses yeux rougis par l'alcool et la veine sur sa tempe gauche qui sautait, on aurait dit qu'il allait exploser. Sentant la tension monter, elle voulut se mettre en sécurité. Elle fit quelques pas vers la porte de la salle de billard, mais il s'interposa et lui lança froidement : « C'est moi qui décide quand tu pars. Personne d'autre. » Il lui arracha brutalement sa tuque et empoigna ses cheveux : « Suis-moi, ma belle. On doit discuter tous les deux. »

Sans se préoccuper des protestations et des supplications de Mathilde, Simon l'obligea à le suivre jusqu'à sa voiture, stationnée tout près. L'adolescente n'avait aucune possibilité de se libérer de sa poigne, car il la tenait solidement par un bras et par les cheveux. Comble de malheur, la rue était déserte… Personne ne pouvait intervenir. Avant de la pousser à l'intérieur de la voiture, Simon l'embrassa sauvagement, puis lui dit : « Tu es à *moi* et si je ne t'ai pas, personne ne t'aura ! »

Une fois Mathilde à l'intérieur, la porte côté passager se verrouilla automatiquement. Apeurée, elle pressa frénétiquement plusieurs boutons pour la déverrouiller, mais tout ce qu'elle parvint à faire fut de descendre la fenêtre. Simon entra à son tour dans la voiture.

– Tu sortiras quand j'en aurai fini avec toi ! la menaça-t-il.

Pendant que Paul montait dans sa voiture, Mathilde était poussée dans celle de Simon.

Pendant que Paul se dépêchait pour que sa fille n'ait pas trop froid à l'attendre, Simon se dépêchait de démarrer et de quitter l'endroit.

Pendant que la neige commençait à tomber et que Paul évitait de justesse une voiture qui passait en trombe devant lui, Simon reprenait à la dernière seconde le contrôle de sa voiture, qui avait changé de voie.

Pendant que Paul grognait contre le chauffard, Mathilde pleurait et suppliait Simon de ralentir.

Pendant que Paul stationnait la voiture devant la salle de billard, la voiture de Simon faisait une embardée et percutait un lampadaire de plein fouet.

Pendant que Paul cherchait sa fille à l'intérieur, Mathilde respirait de plus en plus difficilement.

Lorsque les ambulanciers arrivèrent sur les lieux de l'accident et constatèrent la force de l'impact, ils souhaitèrent une seule chose : que les occupants aient survécu.

19
Blessée

L'attente à l'hôpital était interminable. Chloé avait insisté pour accompagner ses parents et elle tentait tant bien que mal de ne pas se laisser submerger par l'angoisse et les appréhensions. Sylvie pleurait sans cesse. Paul faisait les cent pas, culpabilisant d'être arrivé trop tard. Il avait hâte de savoir pourquoi sa fille avait accepté de monter dans la voiture de Simon. À moins qu'elle n'ait pas eu le choix ? Tout se bousculait dans sa tête. Pour le moment, tout ce qu'il voulait c'était de la savoir saine et sauve. Jusqu'à maintenant, les médecins avaient refusé de donner leur pronostic. Il fallait attendre…

Un policier avait expliqué à Paul comment l'accident de voiture était arrivé :

– La neige a rendu la chaussée glissante et le véhicule roulait à grande vitesse. Dans la courbe, le conducteur a dérapé. Il a fait un tête-à-queue avant de faire une embardée dans le fossé, où il a terminé sa course contre un lampadaire. Par chance, votre fille était attachée. Pour le conducteur, c'est une autre histoire. Sans ceinture, il a été projeté à l'extérieur de la voiture. Son état semble plus sérieux. Est-ce que vous savez si votre fille et son copain ont consommé de l'alcool ?

– C'était son ex-petit copain et non, ma fille n'est pas en âge de boire.

– Nous allons attendre sa version et celle du conducteur pour connaître la véritable séquence des événements. Vous allez devoir m'excuser, les parents du conducteur sont arrivés et je dois leur parler. Bonne chance.

Les parents de Simon attendaient dans la pièce adjacente. Le médecin les mit au courant de la situation :

– Votre fils a une lacération profonde du côté gauche du visage, une fracture au niveau de l'humérus et une autre, mineure, à la hanche. Il se peut qu'il soit opéré ou qu'on doive l'immobiliser pour une longue période. La réhabilitation sera longue parce que les muscles s'atrophient rapidement quand ils sont immobilisés. Pour le moment, sa vie n'est plus en danger, mais son état est sérieux. Vous pouvez aller le voir, mais pas plus de dix minutes, il a besoin de repos.

En entendant le médecin décrire l'état sérieux dans lequel se trouvait Simon, Paul pensait ressentir une certaine joie de savoir que ce dernier allait payer pour ce qu'il avait fait à sa fille. Pourtant, il ressentit une profonde compassion.

Il pensait aux parents du jeune homme qui savaient leur fils gravement blessé et, en plus, responsable de l'accident. Difficile de supporter tout cela en même temps. À partir de ce moment, il réalisa qu'il ne servait à rien de s'en vouloir ou d'en vouloir à Simon. L'important était que sa fille soit toujours en vie. Aussi, quand la mère de Simon passa devant lui, Paul lui souhaita bon courage.

Il fallut plus d'une heure avant que la famille puisse avoir les dernières nouvelles de Mathilde. L'interne qui s'occupait d'elle leur fit un bref résumé :

– Votre fille a perdu conscience pendant quelques minutes. Nous nous sommes donc assuré qu'il n'y avait eu aucun saignement intracrânien. Elle a quelques coupures aux bras à cause de l'éclatement du pare-brise. Elle pourra quitter l'hôpital dans deux jours. Nous la gardons un court laps de temps en raison de ses contusions thoraciques douloureuses et d'une fracture aux côtes. Pour l'instant, elle est réveillée. L'effet des médicaments la soulage suffisamment, elle ne souffre pas. Ne restez pas trop longtemps, elle a besoin de repos. Elle est très ébranlée par l'accident.

Quel soulagement ! Mathilde allait bien et n'aurait aucune séquelle permanente. En moins de deux, les trois membres de la famille se trouvèrent à son chevet.

– Tu es vivante, ma chérie ! sanglota sa mère en flattant les cheveux de Mathilde. Nous avons eu tellement peur de te perdre…

– Qu'est-ce qui s'est passé ? s'informa Chloé. Pourquoi étais tu avec Simon ? Est-ce que tu as mal ?

– Ça suffit. Vous l'étourdissez avec vos questions, intervint Paul. Laissez-la respirer un peu. Comment ça va, ma grande ?

Mathilde était incapable de répondre. Elle les regardait sans savoir quoi leur dire, comment se justifier. Elle craignait qu'ils soient fâchés. Elle hésitait encore lorsque Chloé la prit par le cou et lui dit :

– Je t'aime fort, petite sœur, je me fiche de savoir ce qui s'est passé. J'ai tellement eu peur de ne plus te revoir !

Ne craignant plus de décevoir sa sœur, Mathilde se laissa aller. Le barrage qui retenait ses pleurs se brisa et elle éclata en sanglots. Elle n'était plus à l'hôpital. Elle n'était plus dans un lit froid et étranger, elle était dans les bras de sa sœur qui l'aimait.

Paul et Sylvie se joignirent à leurs filles dans une accolade remplie d'amour. Lorsque l'infirmière entra pour leur annoncer qu'il était temps de laisser Mathilde se reposer, elle se ravisa. L'amour était, après tout, le meilleur remède pour sa patiente.

La première nuit de Mathilde à l'hôpital ne fut pas de tout repos. Dans son sommeil, elle sursautait, geignait et transpirait beaucoup. Sa tête remuait de gauche à droite et ses mains tremblaient. Elle rêvait et pleurait en dormant.

La voiture allait très rapidement, la route était sinueuse. Elle avait peur, très peur. Le conducteur ne ralentissait pas, au contraire, il accélérait. « Non, non, arrête ! » Il n'y avait rien à faire. Tout à coup, le paysage se mit à tourner et à tourner encore. « NOOOOON ! »

L'adolescente se réveilla au son de son propre cri de terreur. Tout lui revenait en mémoire. Ce rêve était la réalité ! Elle avait eu un accident de voiture avec Simon et elle avait cru mourir. On lui avait dit que Simon était gravement blessé. Elle n'avait posé aucune question. Elle voulait oublier qu'elle l'avait connu, même qu'il existait encore. Elle ferma les yeux en priant pour se réveiller dans un monde où Simon n'aurait jamais croisé sa route…

Le lendemain matin, Mathilde se sentait encore ankylosée et chaque mouvement brusque entraînait une douleur atroce. Elle voulait rester immobile pour le reste de ses jours et garder les yeux fermés. Fermés sur l'accident, fermés sur la vérité. Les mots mouraient dans sa gorge et ses larmes refusaient de jaillir.

L'infirmière qui s'occupait d'elle vint la voir pour s'informer de son état de santé.

– Comment allez-vous, ce matin ? Apparemment, la nuit a été agitée ? Une amie demande à vous voir, cela vous fera du bien. Je vous laisse avec elle.

Lorsque Mathilde vit Rose entrer dans sa chambre, une immense vague de soulagement l'envahit. La jeune fille savait qu'elle pouvait se confier à elle et tout lui raconter dans les moindres détails.

– Il m'a rejointe dehors pendant que j'attendais mon père et... il m'a obligée à le suivre en me tirant par les cheveux... Je ne voulais pas et j'ai tenté de me libérer, mais il était plus fort que moi... Il ne voulait pas me laisser sortir de la voiture même si je le suppliais. Il n'arrêtait pas de me répéter qu'il m'aimait, qu'il ne voulait pas me faire de mal, mais que je ne lui laissais pas le choix... que je devais payer pour m'être moquée de lui, au resto. Je lui ai dit que c'était faux, que nous pourrions en parler tranquillement s'il arrêtait la voiture, mais il s'est mis à accélérer... Quand je lui ai promis que je ferais tout ce qu'il voulait s'il ralentissait, il a ri puis m'a crié qu'il m'avait suppliée, lui aussi, et que je ne l'avais pas écouté. J'ai vu qu'il perdait le contrôle lorsqu'on a évité une voiture de justesse... Je voulais me sauver, sortir de la voiture... J'ai tenté d'ouvrir la portière pour sauter, mais il s'en est aperçu et a lâché le volant pour me retenir... Ensuite tout s'est déroulé très vite, je ne me souviens de rien. C'est terrible, Rose, tout est de ma faute ! L'accident, c'est moi qui l'ai provoqué !

– Tu n'es responsable de rien, Mathilde, la rassura Rose. Tu n'as jamais voulu ce qui est arrivé. C'est lui le seul et unique responsable. Tu n'as rien à te reprocher.

– J'essaie, mais je n'arrête pas de me dire que si je ne l'avais pas revu au resto…

– Ce serait peut-être arrivé ailleurs, à un autre moment, pour une autre raison… Il n'acceptait pas que tu l'aies quitté. Quand il a compris que tu ne reviendrais pas, il a réagi comme quelqu'un qui n'a plus rien à perdre. Tu as fait tout ce que tu pouvais pour te protéger de lui, de ses pluies d'insultes et de ses attaques dénigrantes. Il a détruit ton intégrité et t'as fait douter de toi. C'est le plus terrible dans toute cette histoire, parce que ce sont les bleus du cœur qui sont les plus longs à guérir.

– Je ne sais pas comment expliquer mon comportement et mes décisions à mon entourage. J'ai défendu Simon auprès de mes parents. Je leur ai dit que j'étais assez intelligente pour faire mes propres choix… et je me suis trompée.

– L'amour, Mathilde, ce n'est pas une question d'intelligence. Quand on aime, nos barrières sont baissées et on ne voit pas la vie avec les mêmes yeux. Notre jugement est différent. Tes parents le savent et malgré ce que tu penses, ils t'aiment même si tu es tombée amoureuse de Simon. Tu dois savoir aussi que tu n'es pas obligée de tout leur raconter. Tu as droit à ton petit jardin secret, il te suffit de choisir ce que tu veux leur dire et ce que tu préfères garder pour toi. Ils peuvent comprendre sans connaître tous les détails.

L'adolescente soupira. La suite des événements lui semblait être une montagne à escalader…

– Il faut du courage pour se pardonner et reprendre la vie après une relation qui nous a détruit psychologiquement. J'ai confiance en toi et je sais qu'à partir de maintenant, tu ne laisseras personne te faire aussi mal. Écoute la petite voix en toi, celle de ton cœur. Elle t'indiquera la voie à suivre. Tu es une fille formidable et tu ne dois plus jamais laisser personne te convaincre du contraire.

Mathilde remercia Rose de sa présence et, surtout, de son écoute. Il était maintenant temps pour elle de trouver le chemin de la guérison.

N'ayant pas pu rendre visite à Mathilde à l'hôpital, Joanie et Laurence avaient demandé à être présentes pour le retour à la maison de leur amie. Elles voulaient lui dire à quel point elles étaient heureuses de la savoir saine et sauve. De plus, Laurence voulait lui demander pardon ; elle se sentait extrêmement coupable de l'avoir laissée partir toute seule de la salle de billard. Quant à Joanie, elle aussi se sentait coupable. Elle avait été méfiante envers Simon, mais elle n'en avait parlé à personne. Peut-être que si elle l'avait fait, quelqu'un aurait pu éviter que cela dégénère autant. Laurence et Joanie n'auraient jamais cru que Simon irait aussi loin. C'était dans les films qu'on voyait ce genre de scénario, pas dans la réalité. Toutes les deux avaient beaucoup parlé de leur sentiment de culpabilité et s'étaient mutuellement rassurées. À partir de maintenant, elles étaient résolues à tout faire pour aider leur amie.

Mathilde avait bien écouté les dernières recommandations du médecin avant de quitter l'hôpital. Cependant, elle n'en avait retenu qu'une seule : essayer de garder son sang-froid en montant à nouveau dans une voiture. Bizarrement, le voyage de retour ne fut pas aussi pénible qu'elle l'avait imaginé. Elle se sentait en sécurité avec sa mère au volant. Elle savait que Sylvie était prudente et que le contexte était différent. L'adolescente parvint à se détendre un peu... jusqu'à ce qu'elle voie sa maison.

La voiture s'arrêta dans l'allée, mais pas les battements du cœur de Mathilde. C'était comme si elle revenait à la réalité d'un coup. Elle repensa à la dernière fois où elle avait vu Simon sur le trottoir devant chez elle... Elle était de retour à la maison, mais pourtant elle ne s'y sentait pas en sécurité. Que ferait-elle quand ses parents seraient absents ? Si elle était seule, un soir, est-ce que Simon viendrait ? Il savait tout sur elle, il le lui avait dit. Il voulait tout lui faire perdre et il lui avait juré qu'il tiendrait parole. La panique s'empara de Mathilde et elle se mit à pleurer. Sa mère ne posa aucune question, lui ouvrit la portière et la prit dans ses bras. Elle la consola et l'accompagna à l'intérieur, où l'attendaient les autres. Personne ne fut étonné de la voir pleurer et personne n'insista pour en connaître la raison. De toute façon, Mathilde était incapable de parler pour le moment. Elle accueillit tout le réconfort qu'on lui offrait et remercia ses amies d'être là. Pour la jeune fille, tout ce qui comptait ce jour-là c'était d'être entourée de ceux qui l'aimaient comme elle était.

ÉPILOGUE

Le bruit assourdissant des moteurs d'autobus rendait l'atmosphère enivrante. Le temps était froid en cette journée de mars et les véhicules se réchauffaient avant le grand départ pour Toronto. Les parents avaient accompagné leurs enfants au terminus pour le voyage scolaire. Joanie était arrivée en premier. Elle partait l'esprit tranquille, car elle savait que sa mère pouvait désormais s'occuper de ses frères turbulents. Laurence arriva en deuxième et Mathilde, qui avait dû attendre que Chloé ramène la voiture des parents, fut la dernière. Décidément, sa sœur avait repris ses vieilles habitudes et ne se préoccupait guère de retarder Mathilde ! Heureusement, l'autobus n'était pas encore prêt à partir.

Paul et Sylvie embrassèrent leur fille et lui souhaitèrent bon voyage.

– Papa, est-ce que tu peux empêcher maman de m'appeler tous les soirs, s'il te plaît.

– Je vais essayer, mais je ne promets rien. Tu connais ta mère…

Tous trois éclatèrent de rire. Sur ce, Mathilde prit sa valise et rejoignit ses amies en courant. Elles montèrent dans l'autobus et Mathilde s'assit près de la fenêtre.

Une fois sur l'autoroute, elle ne quitta plus le paysage extérieur des yeux. Devant elle, les arbres défilaient à vive allure. Pour l'adolescente, le temps s'arrêta et elle profita de ce moment de sérénité pour faire le point sur les trois mois qui venaient de passer.

Elle s'était finalement confiée à ses parents et leur avait parlé de la violence psychologique qu'elle avait subie durant sa relation avec Simon. Leurs réactions avaient été différentes. Sa mère avait été profondément attristée d'apprendre ce que sa fille avait vécu et elle se demandait encore comment il était possible qu'elle n'ait rien vu. Son père, lui, en voulait à Simon. Sa colère diminuait peu à peu, avec le temps. Après cette discussion, ils ne reparlèrent plus jamais de Simon entre eux.

Mathilde avait eu quelques rencontres avec Suzanne, une travailleuse sociale, pour l'aider à retrouver sa confiance en elle et comprendre qu'elle n'était pas responsable des comportements de son ex. Maintenant, elle allait beaucoup mieux, mais elle aurait longtemps de la peine en repensant à ce qu'elle avait vécu. Elle avait aimé Simon de tout son cœur. Son histoire avec lui était chose du passé, mais il faisait tout de même partie d'elle. Les blessures guérissaient, les cicatrices restaient… Mathilde devait apprendre à vivre avec ces stigmates.

Quant à Simon, il avait été hospitalisé deux mois et lorsque Mathilde l'avait croisé au centre commercial, il avait fait semblant de ne pas la connaître. Elle avait remarqué qu'il boitait, probablement une séquelle de l'accident. Joanie lui avait appris qu'on lui avait retiré son permis de conduire en raison de sa conduite en état d'ébriété. Les policiers avaient même pris la peine de lui mentionner à quel point il était chanceux que son ex-copine n'ait pas porté plainte contre lui.

Au travail, il y avait du nouveau. Mathilde était maintenant gérante de l'équipe du matin et s'en sortait très bien. Elle était appréciée des autres serveuses et surtout des clients, qui aimaient sa bonne humeur et sa courtoisie. Rose était toujours sa patronne, mais avec le temps, elle était aussi devenue sa plus proche confidente. La route pour retrouver confiance en elle avait été ardue et Rose l'avait beaucoup aidée.

Joanie et Laurence étaient encore (et pour longtemps !) ses deux meilleures amies. Joanie fréquentait toujours William, tandis que Laurence prenait de plus en plus goût à être seule. Elle avait décidé que la vie de couple attendrait encore quelques années dans son cas. Et Mathilde, que pensait-elle de l'amour après tout ça ? Elle y croyait plus que jamais ! Elle savait qu'elle rencontrerait un jour un gars qui pourrait la rendre heureuse. Plus jamais elle n'accepterait de vivre en prison dans une relation. Ce serait plutôt un camp de vacances tous les jours ! Mais, pour le moment, rien ne pressait. L'adolescente avait réalisé que le voyage à Toronto suscitait en elle un désir nouveau de connaître d'autres horizons. Elle se surprenait même à penser à un voyage humanitaire, durant les grandes vacances. Pérou, Équateur, Mexique… Elle avait l'embarras du choix !

Une petite brise chatouilla l'oreille de Mathilde et la ramena sur terre. Laurence lui demanda, fidèle à son habitude :

– Où étais-tu ? Dans la lune ?

– Non, dans un autobus en route vers le Pérou ! répondit Mathilde en riant.

– Tu peux être où tu veux, mon amie, tant que tu nous amènes avec toi ! rétorqua Joanie.

En silence, Mathilde posa sa tête sur l'épaule de Laurence. Fière de tout ce qu'elle avait surmonté, elle ferma les yeux et ouvrit grand son cœur à la vie. Sa vie. Cette vie qui avait enfin retrouvé sa voie… la voie de la liberté.

S.O.S. violence conjugale

1 800 363-9010
www.sosviolenceconjugale.ca

Centre d'aide aux victimes d'actes criminels (CAVAC)

1 866 532-2822
www.cavac.qc.ca

Ligne d'écoute destinée aux victimes d'agressions sexuelles

1 800 933-9007
www.agressionssexuelles.gouv.qc.ca

Centres jeunesse – DPJ

Région de Montréal 514 593-3979
Région de Québec 418 661-6951
www.acjq.qc.ca

Centre de prévention du suicide

1 866 APPELLE (1 866 277-3553)
www.cpsquebec.ca

Centres de santé et de services sociaux (CSSS)

Dans toutes les municipalités du Québec
www.msss.gouv.qc.ca/etablissements/

Tel-Jeunes

1 800 263-2266
www.teljeunes.com

Jeunesse, J'écoute

1 800 668-6868
www.jeunessejecoute.ca

Tel-Aide

514 935-1101
www.telaide.org

DANS LA MÊME COLLECTION

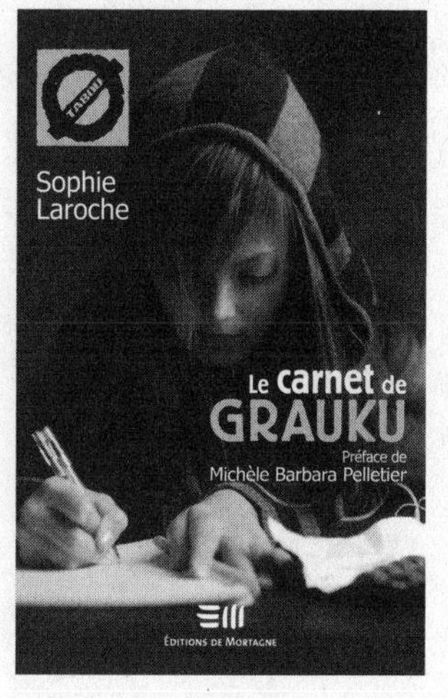

Si tout a dérapé, c'est seulement parce que je n'en pouvais plus de voir la photo de mon cul partout... C'est déjà si dur d'avoir à le traîner ! Je sais, je sais... Je ne devrais pas utiliser le mot « cul ». Ce n'est pas un mot très « littéraire »...

Mais ce qui suit n'est pas une histoire gentille. Quand une gang de filles vraiment pestes ont photographié mes fesses à la piscine et ont fait circuler la photo de cellulaire en cellulaire, j'ai réagi comme d'habitude : je me suis bourrée de chocolat et je me suis défoulée sur mon blogue. Puis cette fille, « Kilodrame », m'a laissé un message. Elle avait un moyen de me libérer complètement de mes problèmes de poids et de mes obsessions de bouffe. Une idée de carnet...

Oui, j'ai maigri. Oui, j'ai enfin découvert la vie. Mais pas celle que j'imaginais...

Si vous voulez des beaux mots, gentils et propres, il faut choisir un autre livre. Lire le trépidant quotidien de Lisa, la belle Lisa, la mince Lisa. Ou de sa copine Justine, si jolie et si fine. Et me laisser, avec mes kilos en trop et mes bourrelets, en marge de la page. Moi, c'est une histoire de cul que j'ai à raconter. Mais pas celle à laquelle vous vous attendez !

Un roman formidable qui n'a pas peur d'appeler un chat un chat, qui capte notre attention dès les premiers mots pour ne pas la relâcher avant la dernière page. Beaucoup d'humour et d'ironie, mais surtout, l'absence de clichés malgré la gravité des sujets évoqués : les ***troubles alimentaires****.*

DANS LA MÊME COLLECTION

Marie-Michelle (Mich pour les intimes ☺) a 15 ans. Elle désespère de se faire un chum comme ses deux meilleures amies, Josiane et Marie-Ève, qui lui consacrent de moins en moins de temps pour cause de bécotage continuel… Jusqu'à ce que Mich rencontre Lenny, pour qui elle craque. Elle fera enfin la découverte de la complicité amoureuse, mais aussi, bien malgré elle, de la jalousie masculine… Il y a aussi Pierre-Olivier, un gars si doux, si attentionné, avec lequel elle se sent siiiii bien...

Qui a dit que l'amour était compliqué ? Une chose est certaine, cette personne avait VRAIMENT raison !! Et pourquoi faut-il toujours que nos parents ne nous fassent pas confiance et nous traitent encore comme des enfants ? Pfff…

Pas facile de gérer amours, famille, amis et études ! Voilà le dur constat que fera Marie-Michelle à l'aube de sa cinquième année du secondaire. Heureusement, à travers tous les tracas, il y a l'amour, le vrai, celui qu'on voudrait voir durer encore et toujours et qui nous donne des frissons dans tout le corps.

Alors, oserez-vous franchir vous aussi la Love zone, celle dans laquelle on est parfois plongé après un seul regard ?

Une histoire toute en simplicité, à laquelle nombre d'adolescentes sauront s'identifier. ***Premières relations amoureuses*** *riment avec naïveté, questionnements, conflits, mais aussi avec purs moments de bonheur… À vivre pleinement !*

DANS LA MÊME COLLECTION

On m'a demandé de raconter mon histoire… Mais comment faire sans raconter la leur, celle de toutes ces voix que j'entends constamment ? Certains disent que je suis malade, que je souffre de schizophrénie. Moi, tout ce que je sais, c'est qu'à quinze ans, ma vie a basculé lorsqu'elles sont entrées dans ma tête et qu'elles ont commencé à m'humilier, à me blesser au plus profond de mon âme...

J'ai tout essayé pour les faire taire, les réduire au silence et me retrouver seule, enfin. Prières, jeûne, médicaments, alcool, drogues… Mais on ne vient pas si facilement à bout de la Grande Gueule et de sa hargne. J'ai voulu lutter, par tous les moyens possibles, mais c'est à ce moment qu'a commencé ma longue descente aux enfers.

Mon combat peut avoir deux issues : la mort ou… ailleurs.

Brillante, talentueuse, hypersensible, Rubby veut simplement vivre. Vivre comme tout le monde, comme avant… Un roman coup de poing sur l'enfer de la ***schizophrénie*** *qui ne laissera personne indifférent.*

DANS LA MÊME COLLECTION

Je fondais tant d'espérances dans l'année de mes quinze ans... Je m'imaginais enfin rencontrer le grand amour, ressentir les petits papillons et tout le tralala. Pourtant, jamais je n'aurais pu imaginer l'enchaînement d'événements qui m'a amenée à faire le vide... en moi.

Christophe, le « roi de la drague », qui m'a envoûtée d'un simple regard, si profond que j'ai été engloutie. Mes amies, mes vraies complices avec qui je partage tout. Ma mère, qui ne me comprenait pas, qui me surprotégeait, surveillait mes moindres gestes. Ce que j'ai pu la détester !

J'ai tant cherché la liberté, la sensation d'enfin vivre MA vie, à MA façon, même si ça ne faisait qu'enrager encore plus ma mère...

Et puis la trahison, la peine, l'incompréhension. J'aurais voulu hurler ma douleur à la terre entière. Mais voilà que la vie en a décidé autrement : je devais mettre ma peine de côté et faire un choix... Un choix si important qu'il déterminerait chaque minute de mon existence... et de la sienne.

Sophie Girard, travailleuse sociale, propose ici un roman d'une grande sensibilité, dans lequel elle aborde avec beaucoup de finesse certains des enjeux les plus préoccupants de l'adolescence : ***relations amoureuses, grossesse non planifiée et avortement.***

DANS LA MÊME COLLECTION

Mes genoux se plient pour le grand saut. C'est ainsi que j'ai décidé de terminer mon histoire, ma vie. Dans un beau et très grand saut.

Depuis la mort de son père, son seul confident, Marie-Ève a la rage de vivre mais le cœur empli de chagrin. Sa famille, ses amis, ses amours ne sont que déception. Sa mère ? Elle fait vivre un cauchemar quotidien à Marie-Ève. Son chum Simon ? Il ne peut pas comprendre son besoin de fuir… Fuir très loin du nid familial qui n'a plus rien de douillet ni de sécurisant. Elle est mal comprise et mal aimée de tous…

Après une première tentative de suicide à quinze ans, l'adolescente décide d'en finir une fois pour toutes avec sa souffrance. Elle n'en peut tout simplement plus de cette vie, elle est épuisée. Se jeter devant le métro lui semble être l'ultime solution à tous ses problèmes.

À son réveil, le choc est immense et les séquelles de son geste, inévitables. Mais, plus encore que les marques permanentes laissées sur son corps, Marie-Ève accepte le pari de vivre, pleinement, comme jamais auparavant.

L'histoire de cette adolescente en mal de vivre respire l'urgence : l'urgence de s'accrocher au bonheur et de se libérer d'une révolte intérieure trop longtemps étouffée. Le **suicide** *y est abordé sans détours, mais aussi avec beaucoup d'espoir et de courage.*

DANS LA MÊME COLLECTION

« Le sida, c'est pour les gays ou les drogués ! Pas pour les Juliette de seize ans qui ne se droguent pas, qui viennent de découvrir l'amour et qui ont toute la vie devant elles ! » C'est ce qu'a toujours cru Juliette... jusqu'au jour où un médecin lui annonce qu'elle est atteinte du VIH.

La dure réalité la frappe de plein fouet : sa première nuit d'amour, cette nuit qu'elle souhaitait parfaite, s'est transformée en véritable cauchemar. Et ses rêves d'adolescente ? Ils ne sont plus qu'un lointain souvenir...

Sans parler de la réaction de son entourage ! Comment annoncer à ses parents et à ses amis qu'on est condamnée à mourir ?

La rage, la honte, la peur et un profond désir de vengeance envers ce garçon qui devait l'aimer, la protéger, mais qui n'a su que détruire sa vie... Toute une gamme d'émotions avec lesquelles Juliette doit désormais composer. Réussira-t-elle à apprendre à vivre avec cette bête qui hante dorénavant chaque cellule de son corps ?

Juliette vivait comme tous les autres jeunes de son âge : dans l'insouciance et habitée d'un puissant sentiment d'invulnérabilité. Et pourtant.... le ***sida*** *est venu briser son armure. L'adolescente livre ici un témoignage fidèle à son image : sincère, qui respire la joie de vivre et le refus de baisser les bras.*

DANS LA MÊME COLLECTION

Aube aime son père. De tout son cœur. Il est le soleil de sa vie, son prince charmant, le gardien de ses rêves et de ses cauchemars.

Son père aime sa petite princesse. De tout son corps. Elle est l'inspiration de ses jeux interdits, son unique obsession, son pantin.

Ensemble, ils filent le parfait bonheur. Jusqu'au jour où il lui prend ce qui lui restait d'enfance et d'innocence. Aube commence alors à s'éteindre pour ne reprendre vie que bien des années plus tard, peu avant son dix-huitième anniversaire, dans un bureau du directeur de la protection de la jeunesse.

L'expérience d'Aube ressemble malheureusement à celle de nombreux autres filles et garçons… mais elle a ceci de spécial : Aube a choisi de briser le silence. Dans ce roman, ***l'inceste*** *est abordé sans tabous afin de lever le voile sur un sujet dont les victimes craignent de parler et sur lequel leur entourage ferme trop souvent les yeux.*

Imprimé sur du papier 100 % recyclé